中国古典の名著50冊が1冊でざっと学べる

寺師貴憲
Takanori Terashi

KADOKAWA

はじめに　人生を豊かにする珠玉の「中国古典」50冊

漢文はそもそもカッコいい。

突如、困難なプロジェクトを上司から丸投げされ、絶対に失敗すると心配した同僚から「大丈夫か？」と真顔で聞かれたら、ぜひ、『後漢書』を引用して、こう答えたいもの。

志は易きを求めず、事は難を避けず。盤根錯節に遇わずんば、何を以て利器を別たんや。

安易なプロジェクトなど、オレは求めない。事が困難だろうが、オレは逃げたりしない。曲がりくねった木の根、入り組んだ木の節（これが盤根錯節）。それを一刀両断してみせなければ、どうやってオレが鋭利な武器だって証明できるのか。まあ、見てろって。このプロジェクトを成功させて、オレが「利器」だってわからせてやるから！

実際、この言葉を残した虞詡は、権力者に睨まれ、文人でありながら、盗賊が跋扈する朝歌に赴任させられたが、その知謀で数百人の賊を一網打尽にした。「**詡を以て之を籌らば、其の能く為す無きを知らん**（私にかかれば、奴らはその無能さを痛感するだろう）」もカッコいい。

この本を手にしたあなたは、まちがいなく自分の教養をもっともっと広げたい、深めたい、高めたい、という高い志を持った方でしょう。

そもそも**日本で教養・古典といえば、『書経』であり、『大学』であり、『論語』であり、『孟子』**でした。子どもたちも、『蒙求』や『十八史略』といった子ども向けの本を通じて、蛍雪の功だの、三顧の礼だの、鼓腹撃壌だの、呉越同舟といった故事を学びました。今でも、『三国志演義』や『西遊記』は親しまれているし、最近では、地理書の『山海経』がアニメ化・ゲーム化されて話題になったものの、それでも中国古典の素養が急速に失われているのを感じますし、漢文軽視の風潮をひしひしと感じます。

そうした中、あなたが今、教養の一つとして中国古典に興味を持ってくれました。

ありがとうございます！　ありがとうございます！　こころの底から嬉しいです。

この本では、中国古典といえば、必ず押さえておきたい五〇冊を取り上げました。

『論語』『孟子』という書名は知っているけど、何が書いてあるかは知らないとか、『老子』『荘子』をまとめて老荘思想と呼ぶとは知っているけど、両書の違いはわからないとか、歴史書としてやたら『史記』『漢書』を目にするけど、なぜ特別扱いされているの？　というか、『漢書』って何？　とか、上司が「サイコンタン」「サイコンタン」と妙に口にするけど、どんな本なの？　といった疑問に答える一書に仕上がっています。

取り上げる本を選ぶに当たっては、皆さんがもっと学びたい、もっと読みたいと思ったときに備えて、**比較的安く、かつ市中の本屋で入手しやすい**ものを優先しました。現代語訳だけのもの、原文・書き下し文もついているもの、語注・解説が充実しているもの、全訳本に抄訳本とまちまちですが、それぞれ一長一短なので（僕は原文を見たい派）、もっと読みたくなったそのときは、ここに挙がっているものをぜひ手に取ってみてください。

四書五経、諸子百家、左国史漢、文選・唐詩選、志怪小説……と、思想・歴史・文学を問わず、古代から近代まで、オールジャンル&オールタイムで押さえるべき古典はまあまあ押さえられたと自負していますが、『孔子家語』『高僧伝』『玉台新詠』『唐宋伝奇』『元曲』のどれか、『天工開物』『三言二拍』『明夷待訪録』『儒林外史』『閲微草堂筆記』『廿二史劄記』など、紹介しきれなかった古典がたくさん残っています。それらについては、何か別の機会に紹介できるといいなと考えています。

それでは、豊かな中国古典の世界をお楽しみください。そして、これをきっかけに、岩波文庫、角川ソフィア文庫、講談社学術文庫、光文社古典新訳文庫、タチバナ教養文庫、ちくま学芸文庫、中公クラシックス、平凡社、明治書院、明徳出版社など、各社が出している各種訳本を読んでいただけると嬉しいです。

Contents

目次

第1章　どう生きるか　心構えを磨く10冊

二宮尊徳の銅像が手にしているのが『大学』だ。学問の目的・方法を説く儒家の経典であり、南宋の大学者朱熹が、四書五経のうち最初に学ぶべきだとした重要書物である。中国古典の入り口として、まずは『大学』を見よう。

第2章

世界はどんな形をしているか

考え方を学ぶ10冊

第3章 他人とどう関わるか

ビジネスに役立つ10冊

第4章 過去をどう見るか

「エリートの必須教養」と言われた10冊

第5章 日本文化の「もと」は何か

日本文化の源流を垣間見る10冊

※本文中において、50冊各書の訳本からの引用箇所には、記号「★」を付しています。記号を付していないものは、本書著者による書き下し文、現代語訳です。ルビについては、原則として原典の記載を踏襲していますが、可読性を考慮して一部加筆、省略しています。

本文デザイン　斎藤充（クロロス）
本文イラスト　瀬川尚志
本文図版　おかっぱ製作所
校正　株式会社ニッタプリントサービス
DTP　株式会社群企画
株式会社ニッタプリントサービス

Contents

各本の文字量・難易度の目安

文字量

……標準の半分以下

……標準的（250～5000ページ）

……2分冊以上

難易度

……スラスラ読める

……やや難しい

……難解

どう生きるか

第1章

心構えを磨く10冊

1『大学』

曽参（そうしん）

『大学・中庸 ビギナーズ・クラシックス 中国の古典』矢羽野隆男／角川ソフィア文庫

二宮尊徳の銅像が手にしているのが『大学』だ。学問の目的・方法を説く儒家の経典であり、南宋の大学者朱熹（しゅき）が、四書五経のうち最初に学ぶべきだとした重要書物である。中国古典の入り口として、まずは『大学』を見よう。

文字量

難易度

曽参（前506～前436）：春秋時代（前770～前403）末期の人。字は子輿（しよ）。孔子の高弟で、孔門十二哲のひとり。孔子の弟子の中で唯一「子」をつけて曽子（そうし）と呼ばれる。『孝経』『大学』を編纂したとされている。

われわれは何のために学ぶのか

その答えをはっきりと教えてくれるのが『**大学**』である。**学ぶのは自分のためではない**。**天下国家のため**である。道家思想は、自分の心の静穏ばかりを求めて天下国家をないがしろにする。法家思想は、天下国家のためと称して人民にああしろ、こうしろと指示するばかり。学問とは「**己を修めて人を治む**」もの。まずは自分から。自分が**君子**（理想の人間）になる。そして、**自分が手本となって周囲を感化し**、**その範囲を広げて広げて、やがて天下国家に泰平をもたらす**。これが『大学』の説く学問の目的だ。

中国古典を学ぶなら、まず『大学』

この本の冒頭を飾るのが『大学』なのにはわけがある。あなたが中国古典の「通」を演じたいなら、「中国古典を学びたい？　なら、まずは『大学』からかな」と言うべきなのだ。

なぜ『大学』からなのか。中国古典のチャンピオンは**四書五経**である。『大学』に『中庸』『論語』『孟子』の**四書**と『易経』『書経』『詩経』『礼記』『春秋』の**五経**で四書五経。**いずれも儒家の基本経典であり、これを知らずに中国古典は語れない**。

経典は、経書ともいい、学問の「経」となる重要な書物で、聖人の教えを伝えるものである。儒家思想の始祖孔子のころには、すでに「**五経**」、あるいは、そこに『楽経』（散逸して伝わらなかった）を加えた「**六経**」が経書とされていた。そののち、前漢の「五経博士」の設置、唐の『五経正義』の編纂を経て、その経典としての地位は確立した。

この五経の前に四書を置いたのが**南宋の朱熹**だ。孔子（子は先生）と同じく朱子と呼ばれ、中国・朝鮮・日本で官学となる**朱子学**を生んだ儒者だ。彼は「『大学』で学問の枠組みを定め、『論語』で学問の根本を立て、『孟子』で学問の情熱的な現れを見、『中庸』で古人の奥深いところを追究する」（『朱子語類』）と述べ、四書を学んでから五経に進むべきだとした。

だから、**中国古典を学ぶに当たって最初に見るべきは『大学』**なのである。

学問のプロセス『八条目』

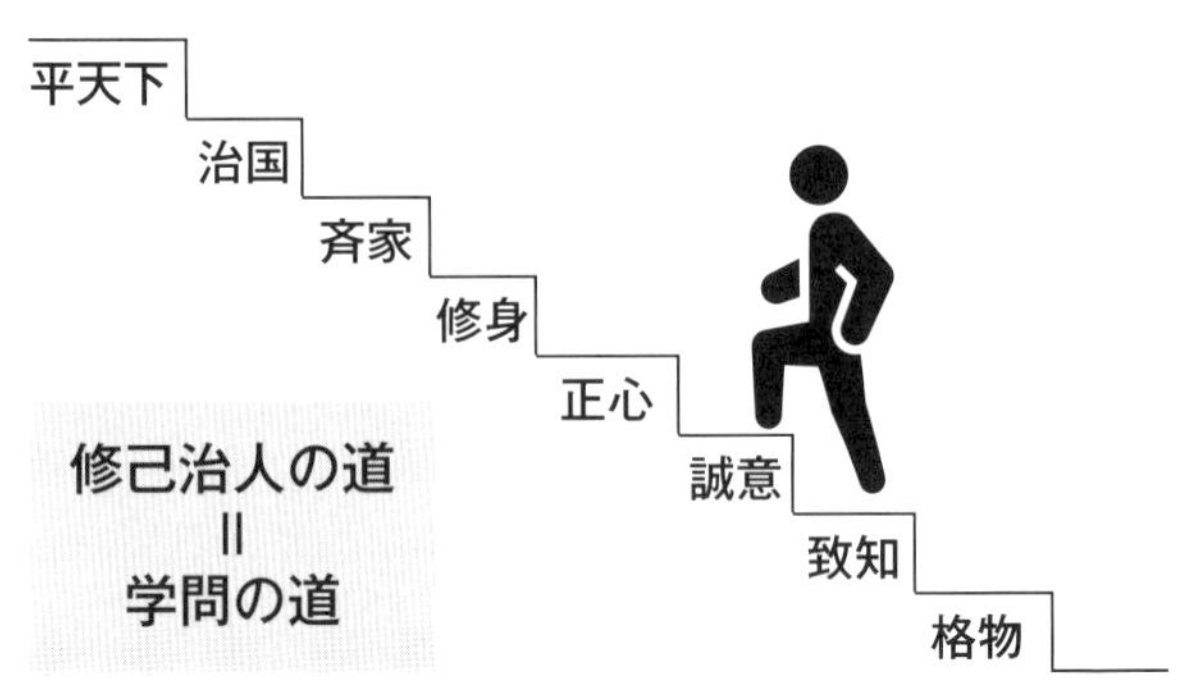

『大学』はもともと『礼記』の一部で、独立した書物ではなかった。著者は不明だが、朱子が孔子の弟子のひとり、**曽参**（**曽子**）だと決めた。孝で知られる、あの曽子だ。

『大学』は一七五〇字ほどの小著で、全十一章。朱子は、『大学』のエッセンスがつまった第一章二〇五字を「孔子の言葉を曽子が伝えたもの」とし、これを「**経**」と位置づけた。そして残り十章を「経についての曽子の解説をその門人が記録したもの」、つまり「**伝**」だと考えた。なお、経とは聖人の著作やその記録、伝とは、その注釈を指す。五経を知るための基本用語だ。

さて「冒頭で『大学』は「★**大学の道は、明徳を明らかにするに在り、民を新たにするに在り、至善に止まるに在り**」と述べる。

ここにある「**明明徳・新民・止至善**」を朱子は「**三綱領**」と呼ぶ。君子になるための三つの要点である。①自己修養に努め、誰もが生まれつき備える明徳（輝かしき徳）を輝かせる（「明徳を明らかにす」）。②人々を感化し、旧来の悪習を除き去って、道徳を刷新する（「民を新たにす」）。③自分と民が到達した善の至極に止まる（「至善に止まる」）。

こうして『大学』は学問の目標を明確にしたのち、★「**物格りて后知至る。知至りて后意誠なり。意誠にして后心正し。心正しくして后身修まる。身修まりて后家斉う。家斉いて后国治まる。国治りて后天下平らかなり**」と述べて「明明徳」と「新民」の具体的プロセスを明らかにする。この「**格物**（物事の道理を極め）・**致知**（自分の知識を極め）・**誠意**（意識を誠にし）・**正心**（心を正しくして）・**修身**（身の行いを立派にした）・**斉家**（まず自分の家をととのえ）・**治国**（次の一国を治めて）・**平天下**（天下万民の明徳を明らかにする）」を朱子は「**八条目**」と呼んだ。要するに、「修己治人」の道こそが『大学』のいう学問の道なのだ。

この本のポイント

❶『大学』は四書五経の中で最初に読むべき古典とされる。
❷内容は学問の目的で、「修己治人(己を修めて人を治む)」に尽きる。
❸三綱領と八条目のうち「修身・斉家・治国・平天下」は覚えておこう。

2『中庸』

子思（しし）

朱子が四書の最後に学ぶべきだとした『中庸』。道徳について語られている。孟子の性善説に対する素朴な疑問「仮に人の性が善だとしたら、なぜ極悪人も存在するのか、なぜ我々は善人でいられないのか」への答えがある。

『大学・中庸 ビギナーズ・クラシックス 中国の古典』矢羽野隆男／角川ソフィア文庫

文字量 難易度

子思（前483?～前402?）：戦国時代（前403～前221）の人。孔子の孫。名は伋（きゅう）。子思は字（あざな）。著作に『子思子』があったとされるが、散逸した。ただ『礼記』の中庸・表記・坊記・緇衣（しい）の4篇はその一部だと言われる。

メインは「中庸」ではなく「誠」

『大学』『中庸』『論語』『孟子』を四書と総称する。ここでは前章の『大学』に続いて『中庸』を取り上げる。

『中庸』も、『大学』と同じく、もともと『礼記』の一部で、独立した書物ではなかった。

著者は孔子の孫の子思だという。子思は曽子の門人で、孟子に影響を与えた。孔子→曽子→子思→孟子の学統を、朱子学では、**先王の教え（道）を正しく伝えた**「**道統**」として重視し、彼らの著作『論語』→『大学』→『中庸』→『孟子』を儒家の経典に加えた。

性、道、教の概念

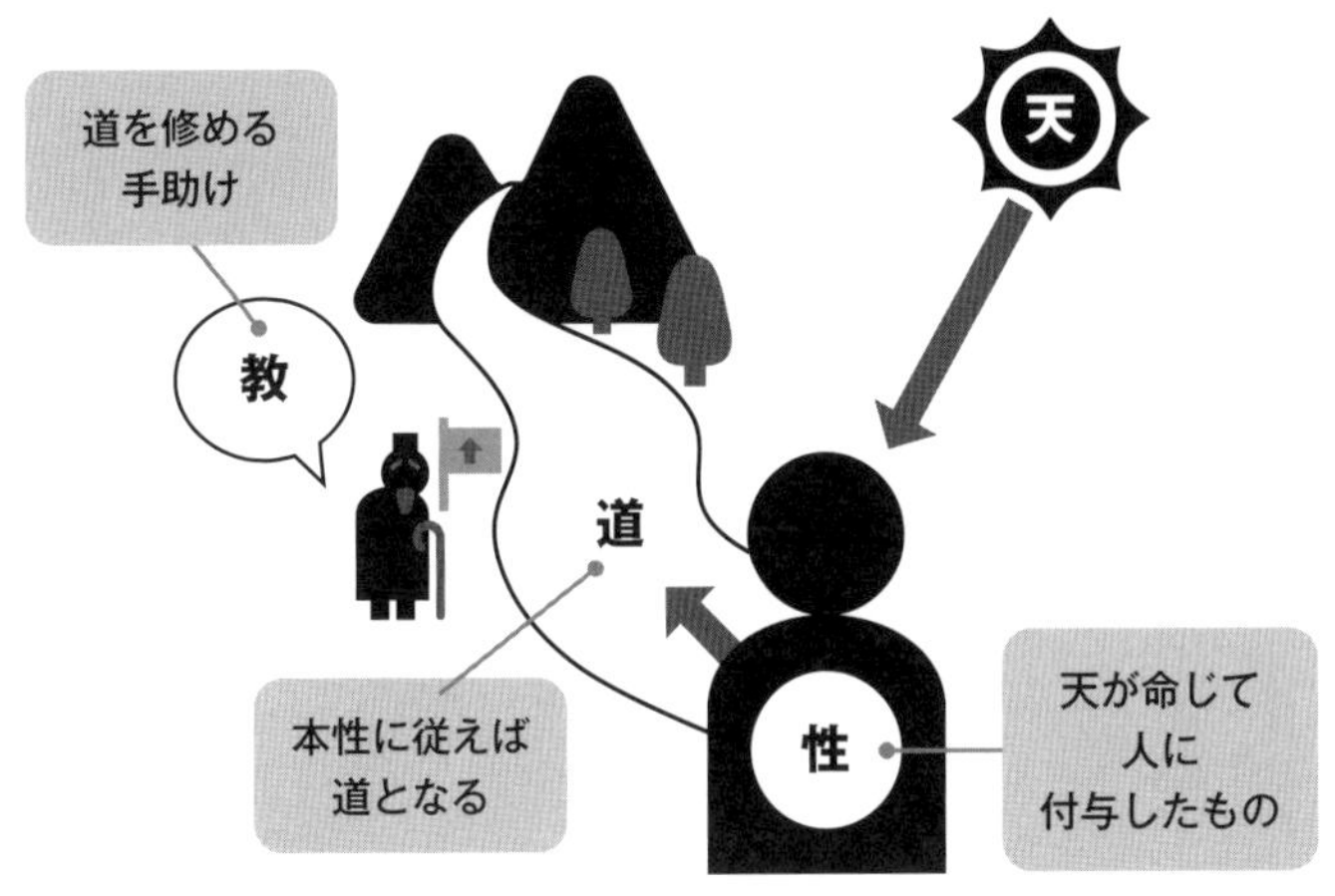

『中庸』は、人間の本性とは何かを論じたもの。書名に反して『中庸』のメインは「**誠**」の哲学と言われる。

冒頭で『中庸』は★「**天の命ずる之を性と謂い、性に率う之を道と謂い、道を修むる之を教えと謂う**」と述べる。万物を主宰する「**天**」が**命**じて人間に付与したのが「**性**」（本性）であり、この本性はそもそも善なので（**性善説**）、その本性に従えば、それは「**道**」（道理・道徳）になる。そして、その道を修めるための手助けが「**教**」（教育・教化）である。

孟子の性善説は、根源を「良知・良能」に置く。善の**心**は人に本来備わっており、人は「善をしたいからする」というのだ。つまり孟子は、「人の性が善なのは、人はそういうものだから」と答えていることになる。

それに対して『中庸』は「人の性が善なのは『天』がそう命じたからだ」と答える。性善説の根源に「天」を置いた。「人の本性は即ち天の理そのものだ」とする朱子学の「性即理」の思想はこの部分を根拠とする。

ここから『中庸』は、君子たるものはひとり慎重に自分の心と向き合い（**慎独**）、「道」から外れる兆候があれば、どんな隠微なものであっても鋭敏に察知するものだ、と説く。そして★「喜怒哀楽の未だ発せざる、之を中と謂う。発して皆節に中る、之を和と謂う。中なる者は、天下の大本なり。和なる者は、天下の達道なり」と、お待ちかねの中庸の「中」に言及する。これによれば、**「中」**とは、**感情がまだ発露していないニュートラルな状態**であり、**「和」**とは、**発露した感情が節度にかなって調和のとれている状態**である。そして、この「中」が天下の根本であり、「和」が時代や場所を超えて通用する人の道（達道）だとする。

人の性は善のはずなのに、なぜ時に悪事を働くのか。

それは、強い「情」（喜怒哀楽）に流されたとき、人がその本性を忘れるからである。「中」は何の感情も発していないので、本性に従っている状態。「和」は、感情は発しているけれど、節度にかなって調和しているので、こちらも本性に従っている状態。だから★「中和を致せば、天地位し、万物育す」と、この「**中和**」**を極めれば、天地はあるべき状態に落ち着き、万物はすくすくと成長する**という。人間に可能とは思えないけれど、これが「中和」の効能だ。

中庸を重視したのは孔子で、「**過ぎたるは猶お及ばざるがごとし**（行き過ぎは足りないのと同じくよくない。何事もほどほどがよい）」で知られる。『中庸』は★「中庸は其れ至れるかな。民能くすること鮮きこと久し（中庸は最高だ。民でこれを実践できるものが少なくなって久しい）」と嘆き、その理由は★「知者は之に過ぎ、愚者は及ばざるなり」と、知者は行き過ぎ、愚者は足りないからだと言う。そして「**ちょうどええ**」にとどまるのは至難の業だと繰り返す。

「誠」は後半に登場する。**天下の達道**とは、**君臣・父子・夫婦・兄弟・朋友**の五つの交わり、**天下の達徳**とは、**知・仁・勇**の三つの徳、そしてこれらを働かせるのは一つの「誠」である。「誠」とは何か。★「誠は、天の道なり。之を誠にするは、人の道なり」と、**天から与えられた善なる性を真実にすること、これが「誠」であり、すべての道・徳の基盤になる**と『中庸』は答える。

『大学』『中庸』を読むなら、矢羽野隆男『大学・中庸』（角川ソフィア文庫）が原文・書き下し・口語訳に加え、章ごとの解説もあってオススメ。

この本のポイント

❶『中庸』は四書の中で最後に読まれるべき書物とされる。
❷内容は道徳。「中庸」は「ちょうどええ」にとどまれ、という意味。
❸「誠」は、性善説を前提にその善性を真実にしていく、という意味。

3『論語』

孔子

東洋の政治・文化に最大の影響を与えたのが孔子だ。その点で西洋のイエスと並ぶ。ザ・中国古典「四書五経」すべてに孔子とその学統が関わっている。中でも、現代人を魅了してやまないのが名句名言にあふれた『論語』だ。

『論語』金谷治 訳注／岩波文庫

孔子（前552?～前479）：春秋時代（前770～前403）の人。名は丘、字は仲尼。儒家の祖。伝統を重んずる。周を理想の王朝とし、周公旦を理想の政治家として仰ぎ、仁と礼を根本的理念とする徳治政治を唱えた。

文字量

難易度

中国古典のチャンピオン『論語』

『論語』は、孔子とその弟子の言行録である。

孔子は、姓は孔、名は丘、字は仲尼。シンプルに「夫子（先生）」と呼ばれることもある。

中国の政治・文化の核となった人物で、**東洋に彼ほどの影響力を持った人物はいない**。孔子に始まる学派を**儒家**、その学問を**儒学・儒教**と呼ぶ。日本にも影響は及び、聖徳太子「十七条憲法」第一条「和を以て貴しと為す」は、『論語』「礼は之れ和を用て貴しと為す」（学而）を踏まえたものともされるし、東京大学のルーツ「湯島聖堂」はもともと孔子を祀る廟だ。

『論語』は、中国古典入門としてぴったりの一冊だ。まず薄いし、一章一章が簡潔。気楽に孔子やその弟子たちの言葉を追いながら、心に刺さった一節に付箋を貼る。気に入ったら、SNSでつぶやいたり、機会を見つけてそらんじてみたりする。

たとえば、僕のお気に入りはこれ。なお君子とは、目指すべき理想の人間を指す。

★**人知らずして慍みず、亦た君子ならずや。**（学而）

（人が分かってくれなくとも気にかけない。いかにも君子だね）

★**人の己れを知らざることを患えず、人を知らざることを患う。**（学而）

（人が自分を知ってくれないことを気にかけないで、人を知らないことを気にかけることだ）

「孔子ってよほど人に認めてもらえなかったんだな」と勝手に親近感を抱く。職場で認められなかったり見下されたりすると、そのたびに僕はこの言葉を思い出して心を整える。

こんな名句名言がズラズラと並ぶ。ほかに★「**巧言令色、鮮なし仁**（ことば上手の顔よしでは、ほとんど無いものだよ、仁の徳は）」（学而）と★「**剛毅木訥、仁に近し**（まっ正直で勇敢で質実で寡黙なのは、仁徳に近い）」（憲問）もよき。口達者なイケメンにろくな奴はいない。むしろ口下手な陰キャこそ良い奴だ。**孔子よ、よくぞ言ってくれた**と思う。これだけで推せる。

中心的思想は「仁」と「礼」

孔子は前五五〇年ころに生まれた。春秋時代（前七七〇〜前四〇三）の末期に当たる。仏教の開祖シャカと同期で、少し後輩にソクラテスがいる。そして日本は縄文時代の終わりがけ、稲作を始めるころ。そのとき、孔子はすでに「仁」と「礼」の思想を説いていた。

まず仁から。

★**君子、仁を去りて悪くにか名を成さん。君子は食を終うるの間も仁に違うこと無し。造次にも必らず是に於いてし、顚沛にも必らず是に於いてす。**（里仁）

★（君子は仁徳をよそにしてどこに名誉を全とうできよう。君子は食事をとるあいだも仁から離れることがなく、急変のときもきっとそこにおり、ひっくりかえったときでもきっとそこにいる）

君子たるものは仁から離れてはいけない。ラーメンをすする間も、徹夜で用意したプレゼン資料を電車に忘れたときも、階段でつまずき脛を強打し流血したときも、仁を忘れない。では、仁とは何かと言えば、実ははっきりしない。孔子も『論語』の半ばで★「**仁は則ち吾れ知らざるなり**★（仁となるとわたしには分からないよ）」（憲問）と堂々と述べていて驚く。

それでも、孔子の言葉を拾うと、仁とは「**人を愛する**」（顔淵）ことであり、「**孝悌**（親に対する孝と兄に対する悌＝家族愛）」こそが「**仁の本**」（学而）である。だから「**我れ仁を欲すれば、斯に仁至る**（わたくしたちが仁を求めると、仁はすぐやってくるよ）」（述而）と言う。「仁の本」は家族愛であり、そもそも各人に備わっているから、仁はすぐにでも実践できる。

★**能く五つの者を天下に行なうを仁と為す**。……（その五つの者とは）**恭寛信敏恵なり**。**恭なれば則ち侮られず、寛なれば則ち衆を得、信なれば則ち人任じ、敏なれば則ち功あり、恵なれば則ち以て人を使うに足る**。（陽貨）

（五つのことを世界じゅうで行なうことができたら、仁といえるね。……〔それは〕恭しいことと寛なことと信のあることと機敏なことと恵み深いこととだ。恭しければ侮られず、寛であれば人望が得られ、信があれば人から頼りにされ、機敏であれば仕事ができ、恵み深ければうまく人が使えるものだ）

ここでは、仁の要素として「恭・寛・信・敏・恵」の五つを挙げている。**礼儀正しく、寛容で、いつでも誠意を尽くし、何事にも前向きで、そして思いやりがある**。これが仁だ。ほかに仁を問われて★「**居処は恭に、事を執りて敬に、人に与りて忠**」（子路）、家では恭しく、仕事は慎重に、人には誠実に、とも語り、仁の要素として「恭・敬・忠」を挙げている。

また仁は「**忠恕**（まごころと思いやり）」でもある。孔子の高弟曽子（『大学』の著者）は「★**夫子**（＝孔子）**の道は忠恕のみ**」（里仁）と言い切っている。

★**子貢問うて曰わく、一言にして以て終身これを行なうべき者ありや。子の曰わく、其れ恕か。己れの欲せざる所、人に施すこと勿かれ。**（衛霊公）

★（子貢がおたずねしていった、「ひとことだけで一生行なっていけるということがありましょうか」。先生はいわれた、「まあ恕（思いやり）だね。自分の望まないことは人にもしむけないことだ」）

子貢の質問に答えて、孔子は死ぬまで実践すべき一字として「**恕**」を挙げ、具体的には「**自分がやられたくないことは人にしてはいけないよ**」とアドバイスする。

実にシンプルだ。満員電車で吊革にもつかまらずスマホゲームに熱中したり、タブレットで動画を見ながら人混みの中を歩いたり、出入口付近を占拠して人の乗り降りを邪魔したり——人にされたら迷惑だと感じる行為を自分はしない。**ちょっとした気遣いが仁の実践になる。**曽子は「★**吾れ日に三たび吾が身を省る**」（学而）と述べたけれど、僕らも忠恕・恭倹・寛容・誠意に欠けていなかったか反省すべきだろう。次の電車でも間に合うのに意味なく駆け込み乗車を試み、エスカレータを駆け下りて、途中お年寄りにぶつかったりしていないか、とか。

次に礼を見てみる。初めが「仁」、次が「孝」を、孔子が説明したものだ。

★**己れを克めて礼に復るを仁と為す。**……**礼に非ざれば視ること勿かれ、礼に非ざれば聴くこと勿かれ、礼に非ざれば言うこと勿かれ、礼に非ざれば動くこと勿かれ。**（顔淵）

★（わが身をつつしんで礼〔の規範〕にたちもどるのが仁ということだ。……礼にははずれたことは見ず、礼にはずれたことは聞かず、礼にはずれたことは言わず、礼にはずれたことはしないことだ）

★**生けるにはこれに事うるに礼を以てし、死すればこれを葬るに礼を以てし、これを祭るに礼を以てす。**（為政）

★（〔親が〕生きているときには礼のきまりによってお仕えし、なくなったら礼のきまりによって葬り、礼のきまりによってお祭りする。〔万事、礼のきまりをまちがえないということだ〕）

★**礼を知らざれば、以て立つこと無きなり。**（堯曰）

（礼が分からないようでは立っていけない）

万事礼にのっとれ、礼に違ってはいけない。礼とは、上座下座とか先輩が杯に口をつけるまで待つといった礼儀作法だと考えていい。**克己**＝自分を抑制して礼にのっとる。自分の行動はすべて礼、親に対してもすべて礼。**礼を知らない奴は立ち上がるな**とまで言う。

最後に、理想の人間像「君子」をごく一部紹介する。僕の心に刺さりまくりだ。

★**君子は諸れを己に求む。小人は諸れを人に求む。**（衛霊公）
（君子は自分に〔反省して〕求めるが、小人は他人に求める）

★**君子は矜にして争わず、群して党せず。**（衛霊公）
（君子は謹厳だが争わない、大勢といても一派にかたよらない）

★**君子は泰にして驕らず、小人は驕りて泰ならず。**（子路）
（君子は落ちついていていばらないが、小人はいばって落ちつきがない）

★**君子は和して同ぜず、小人は同じて和せず。**（子路）
（君子は調和するが雷同はしない。小人は雷同するが調和はしない）

★**君子は言を以て人を挙げず、人を以て言を廃せず。**（衛霊公）
（君子はことばによって人を抜擢せず、また人によってことばをすてることはしない）

君子は人のせいにしない。矜持はあるけれど、醜い罵りあいはしないし、党派にも属さない。いつも泰然自若・冷静沈着で、人を見下さない。終始おだやかで、無批判に大勢に同調したりしない。言葉だけで人を評価しないし、誰の言葉でも耳を傾ける。

「おまえら全員いったん『論語』を読んでこい、話はそれからだ」と言いたくなる。

学問では古典教育を重視し、★**「述べて作らず、信じて古えを好む」**（述而）、★**「故きを温めて新しきを知る」**（為政）と言い、古典を伝えて創造せず、信じて愛好する、そして古い学説に習熟してその中に新しい知見を見い出す、と述べる。もちろん単に暗記するのではない。★**「学びて思わざれば則ち罔し。思いて学ばざれば則ち殆うし」**（為政）と述べ、「学ぶ」だけでなく「思う」＝自分で考えることの重要性を説く。そして最後にこの言葉。

★**これを知るをこれを知ると為し、知らざるを知らずと為せ。是れ知るなり。**（為政）

（知ったことは知ったこととし、知らないことは知らないこととする。それが知るということだ）

知らないことを素直に知らないと認めること。僕がことあるごとにそらんずる言葉だ。

この本のポイント

❶『論語』は中国古典入門としてオススメの一冊。自分好みの名句名言を探そう。
❷『論語』の中心的な思想は「仁」と「礼」。少しの気遣いと礼儀正しさが大事だ。
❸金谷治、吉川幸次郎、貝塚茂樹等の名だたる学者の訳からお気に入りを選ぼう。

4『孟子』

孟子

孔子の学説を祖述したという孟子。孔子の「仁」の思想をより充実させた性善説で知られている。その王道思想は時代に受け入れられなかったけれど、そのどこまでも民に寄り添う姿勢は、今こそ読まれるべきなのかもしれない。

『孟子』小林勝人 訳注／岩波文庫

文字量 3

難易度 2

孟子（前372?～前289?）：戦国時代（前403～前221）の人。名は軻。字は子輿。孔子の孫子思の門人に学ぶ。孔子の道こそが古の聖賢の道であり、これを実践する王道政治を唱えたが、時代には受け入れられなかった。

人間の性質はそもそも善

孔子と孟子。合わせて孔孟。儒学を「孔孟の学」「孔孟の教え」と呼ぶ。つまり**孔子と並び称せられるのが孟子**だ。彼が生まれたのは、孔子の死から約一世紀後。戦国時代中期。

孟子は孔子の孫の子思（『中庸』の作者）の門人に師事した。大国の梁や斉を訪れて**王道政治**を説いたが、うまくいかず、小国の宋・滕・薛に遊説してここでも失敗。彼の説は「**迂遠にして事情に闊し**」（『史記』孟子列伝）とされた。孟子は政治に関わるのをあきらめ、弟子の万章や公孫丑らと時代の実情に合わない理想論を語りあいながら残りの人生を送った。

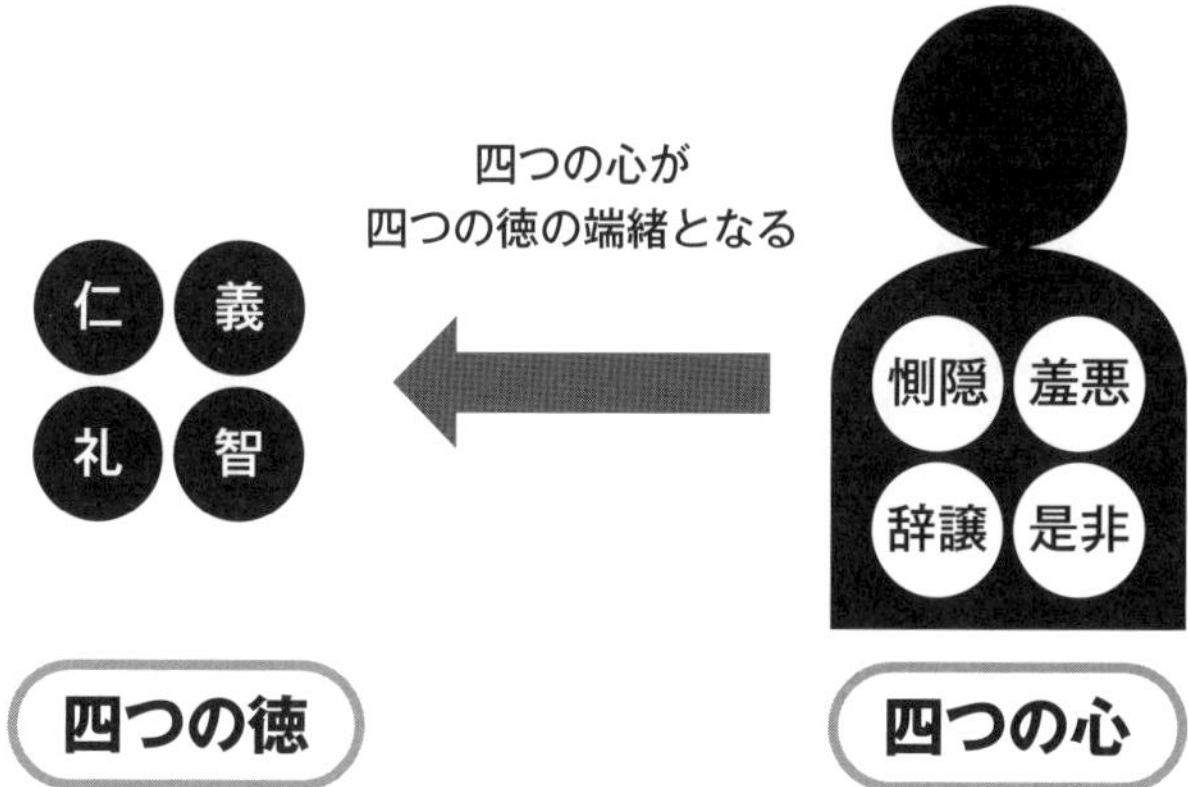

孟子は、人間の性質は「善」だと言い切る。これを**性善説**という。人は**学ばずとも行える**「**良能**」と、**考えずとも知っている**「**良知**」を備えている。

また、人は**他人の不幸を見ていられない**「**人に忍びざるの心**」を持つ。幼な子が井戸に落ちそうになるのを目撃すれば、誰もが「**惻隠**」（他人を憐れみ、同情する）の情を抱く。その子の親とお近づきになりたいからでも、（薄情者という）悪名を恐れたからでもない。自然とそのような情がわく。この惻隠に加え、人には「**羞悪**」（自分の悪行を恥じ不善を憎む）、「**辞譲**」（へりくだって他人に譲る）、「**是非**」（善悪や正邪を判断する）の四つの心があり、それぞれが仁・義・礼・智という四つの徳の端緒となる。これを**四端説**という。

王道政治——「仁者に敵なし」

孟子は君主に「**仁**」を求める。仁とは仁愛。民に対する慈愛である。

君主は孟子に「**利**」を求める。弱肉強食の戦国時代にあって利＝国益とは、シンプルに軍事力と経済力の増強、要するに富国強兵である。そこで梁の恵王は孟子に、どのようにして「吾が国を利する」のかとたずねた。でも**孟子は利を拒否**する。人々が利を求めれば、殺し合い・奪い合いが起こり、国は危うい。だから「★**仁義あるのみ**」（梁恵王上）だと主張する。人々が仁・義の徳を身につければ、国は安定する。仁の人が親を捨てたり義の人が君主をないがしろにしたりはしないからだ。ま、そりゃそうだろう。

それでは、仁・義などと甘ったれたことを言っていて戦争に勝てるのか。

孟子は勝てると言う。「**仁者に敵なし**」と。**民に仁政を施せば、いざというとき、民は棍棒を手に敵国の堅甲利兵**（堅固な鎧に鋭利な武器を装備した強兵）**に立ち向かう**し、逆に**敵国の民はその暴政に苦しんでいるから、こちらが征伐の軍を出せば、誰ひとり立ち向かってこない**。つまり、**仁政を施すだけで攻守いずれでも勝てる**というわけだ。ずいぶんご都合主義だなと思う。「迂遠にして事情に闊し」と評されるのも当然だ。その間、富国強兵に成功した法家の商鞅（しょうおう）や敵国を散々に撃ち破った兵家の呉起（ごき）・孫臏（そんぴん）が表舞台で活躍した。

人は誰もが、良知良能と四端を持つ。その心に従えば、仁・義・礼・智を実践できる。

それは君主も例外ではない。

「惻隠の心」に従えば、「**人に忍びざるの政**」（公孫丑上）、つまり、不幸な民を見捨てない**仁政＝王道政治を実践して王者になれる。**誰でも。王者になれないとすれば、それは「**為さざるなり、能わざるに非ざるなり**（なろうとしていないのだ、できないのではない）」（梁恵王上）というわけだ。

斉の宣王は、引かれていく牛を見かけ、「どこに連れていくのか」とたずねた。「新しい鐘ができたので、血塗りの儀式に使うのです」「やめよ。そのおびえ震えている牛が罪もなく殺されに行くところなんて見るに忍びない」「では、儀式は取りやめますか」「いや。やめたりはせん。代わりに羊を使え」……。は？　**牛はダメでも羊はいいなんて、鯨は食べちゃダメだけど、牛は大丈夫、美味しくいただきます♡と言っている人間と同じ**だと僕らは感じる。

ところが、孟子は宣王を讃え、**この心があれば王者になれる**と言う。宣王の行為は「仁術」であり、牛は殺せないのに羊は殺せるのは「牛は見て未だ羊は見ず」（梁恵王上）だからだ。人は鳥獣の生きている姿を見ると、その死を見るに忍びないし、その鳴き声を聞くと、その肉を食べるに忍びない。宣王は目の前の牛を憐れみ、これを救った。とすれば、民に対しても必ず同じことができる。だからいま、宣王が仁政を実践して王者になっていないのは、できないのではなく、なろうとしていないからだ。そう孟子は断言した。

孟子は革命を容認する

孟子の思想は一種の**民主主義**だ。★「民の楽を楽しむ」★「民の憂を憂う」（梁恵王下）、天下の民と憂楽をともにして王者になれなかった者はいないと孟子は言う。**天下を得るには民心を得るべき**であり、民心を得るには、彼らが欲するものを与え、彼らが嫌がることをしなければよい。こうして仁を実践すれば、「民の仁に帰するは、猶お水の下きに就くがごとし（民は水が低きに流れるように仁に懐く）」（離婁上）。もちろん、天下を王に与えるのは**万物の主宰者「天」**だ。しかし天に耳目はなく、民の耳目を通して見聞きするという（万章上）。つまり天の意志は民の意志であり、民の支持を受けた者だけが**天命を受けた天子**として天下を統治できる。

桀紂（夏の桀王と殷の紂王）が**天下を失ったのは民心を失ったから**だ。彼らは不仁の暴君で、「其の民を暴うこと甚だしければ、則ち身弑せられ国亡ぶ（民をあまりにも虐げれば、身は殺され国は滅びる）」（離婁上）という結果に陥った。湯武（殷の湯王と周の武王）が桀紂を「**放伐**（武力で打倒）」したことについて斉の宣王が「臣下でありながら主君を弑殺してもよいのか」と問うと、孟子は「仁・義を損なった人間は一夫に過ぎず、一夫の紂を誅したとは聞くも、主君を弑したとは聞いたことがない」と答えた。これが孟子の**革命思想**だ。国王による不正・不法な暴力を相手にしたとき、実力で抵抗してもよいとした啓蒙思想家ロックを思い出す。

「浩然の気」を養って無敵になる

王道政治を中心に孟子の思想を紹介したが、大事なのは、**ここを読むあなたにも良知良能と四端は備わっていて、それに従うだけで仁・義・礼・智の徳を発揮し、周囲から仁人・賢人として尊崇の念を一身に集められる**ということ。僕らが悪に走ってしまうのは、外物に惑わされて欲が生じ、善の心を忘れてしまうからに過ぎない。これを「**放心**」という。

欲を寡くして内面に目を向け、心を取り戻す。この「**存心**」の域に達すれば、心は動揺しなくなる。★「自ら反みて縮ければ、千万人と雖も吾往かん（内面を振り返って正しいと確信するなら、相手が千万人でも立ち向かう）」（公孫丑上）の心意気だ。正義と道徳の側に立つことで、このうえなく大きく強く、そして正しい「**浩然の気**」を養える。この気を充実させることで、**僕らは何事にも動じない精神と肉体を手に入れられる。**これが僕らの目指すべき境地だ。

この本のポイント

❶ 性善説とは、道徳の根源が僕たちの中に生まれつきあるという勇気をくれる説。
❷ 自分の心に向き合って「浩然の気」を養えば、何にも揺るがない自分になれる。
❸ 全訳は岩波文庫か講談社学術文庫。エッセンスを楽しむなら角川ソフィア文庫。

5『荀子（じゅんし）』

荀子

荀子は戦国時代末期に登場し、諸子を総括したアリストテレス的な人。孟子を批判して性悪説とそれに基づく礼治思想を説いたが、朱子が孟子を称揚した結果、異端扱いに。でも、僕たちにとって納得しやすい思想を展開する。

『荀子 ビギナーズ・クラシックス 中国の古典』湯浅邦弘／角川ソフィア文庫

荀子（前298?〔前313?〕～前238?）：戦国時代（前403～前221）の人。名は況。荀卿（じゅんけい）と尊称される。人間の本性は悪であるが、努力すれば聖人になれるという性悪説を唱え、後天的な作為や礼を重視した。

文字量 ■□□

難易度 ■■□

人間の性質はそもそも「悪」

孟子は人間の性質は善だと主張したけれど、それに真っ向から反対したのが荀子だ。彼は**人間の性質は本来「悪」**だと主張した。悪といっても、誰もが殺人鬼だとか、誰もが泥棒だとか、そういった話ではない。荀子によれば、**人間は、生まれつき利を好み、人を「疾悪（しつお）」（妬んだり憎んだり）し、また「耳目の欲」（音楽や美女を好む欲）を持つ**。人がこの性質に従えば、争いが生じ、人を傷つけ、風俗・文化は頽廃（たいはい）して、「辞譲（譲ること）」「忠信（誠の心）」「礼義文理（礼儀と道理）」が失われてしまうという（性悪）。

たしかに、人は貪欲で、金儲けのことばかり考え、SNSで愛車のフェラーリだの一本ウン十万円のワインだのをひけらかしてマウントを取ったり、逆にそういった人を羨み妬んでアンチコメントを嵐のようにつけたり、またアイドルを追っかけて全国のライブ会場を周ったり、部屋を推しグッズで埋め尽くしたりする。荀子に言わせれば、**悪の極み**だ。

でも、冷静に周りを見てみれば、意外に善人が多い。むしろ善人ばかりと言っていい。

荀子は★「**人の性は悪、其の善なる者は偽なり**」（性悪）という。「偽」とは「作為を加えた結果」という意味で、人間は本来「悪」だけれど、学問や礼儀や音楽を通じて「善」になる。善人が多いのは、**教育の賜物**だというわけ。生まれたままの人間は禽獣に等しいけれど、教育を受け、礼を身につけることによって、人間らしくなる。「人の性は悪にして、必ず師法を待ちて然る後に正しく、礼義を得て然る後に治まる」（性悪）。逆に言えば、金の亡者とか、自己承認欲求の塊とか、やたら攻撃的な奴とか、下半身が服着て歩いているような連中を見たら、「禽獣だな」と思えばいい。少しは気が休まる。

荀子が孟子を批判するのは、彼が**先天的に備わっている「性」と後天的に身につける「偽」を区別できていない**からだ。お腹が空いて何か食べたくなるのは「性」、お腹が空いていても年長者に食を譲れるのが「偽」。孟子は外物に刺激されてはじめて「欲」が生ずると考えたが、荀子は、人間はもともと「欲」深いと考えた。あなたはどちらの洞察が正しいと思う？

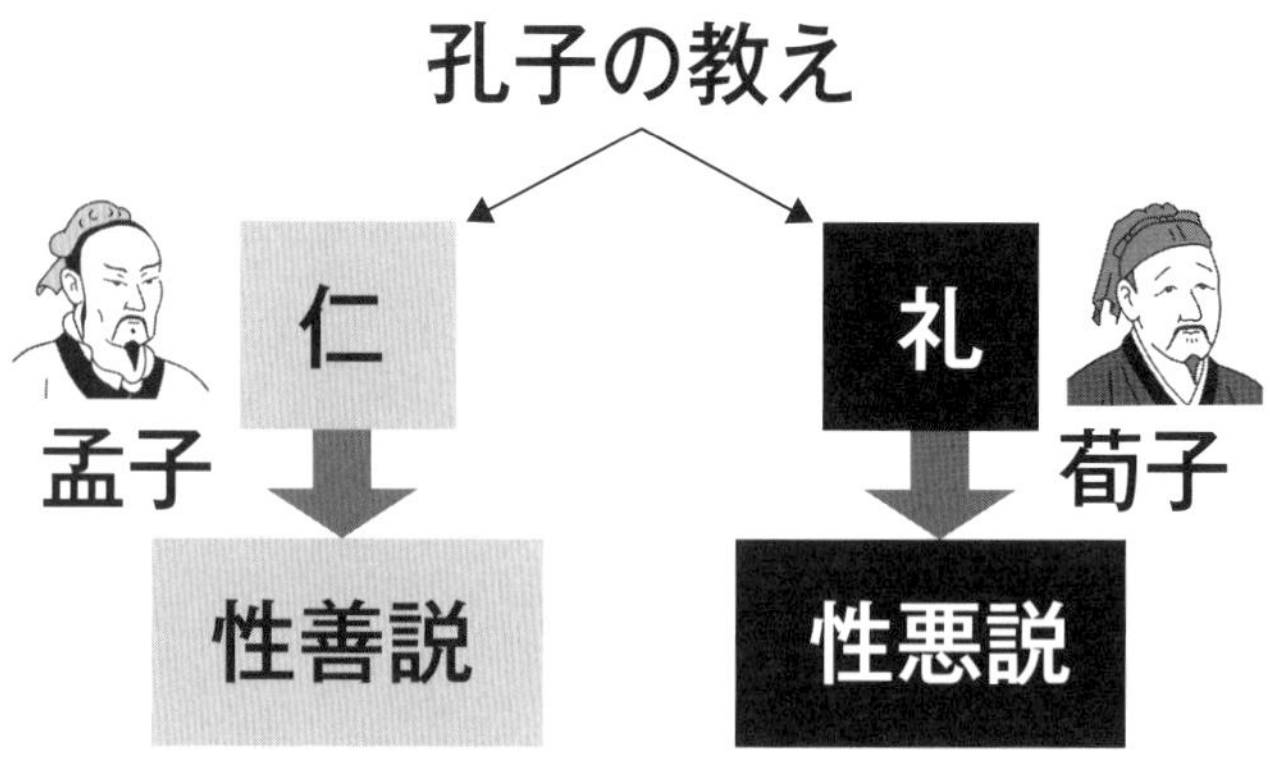

仁はそもそも人に備わっていて、君主も人民もその仁に従うだけですべてはうまくいく

人はそもそも悪であり、礼を学ぶことでその悪性を乗り越えられる

青は藍より出て藍よりも青し

荀子が現れたのは孔子の死から約二世紀後、戦国時代末期に当たる。

五十歳のころ、斉に渡り、襄王に仕え、「稷下の学」の祭酒（学長）を三たび務めた。遅咲きの思想家だ。稷下の学とは、威王・宣王の時代に天下の学士を集めてつくり上げた学者集団で、今でいうシンクタンクみたいなもの。**孟子**や陰陽五行思想の**鄒衍**が参じたことでも知られている。荀子はその後、楚に渡り、春申君に採用されて地方官となった。

荀子は儒家の思想家であり、自分こそが孔子の後継者だと自負していた。しかし門下からは**李斯**と**韓非**という代表的な法家が出ている。それはなぜか。

『荀子』は勧学篇から始まる。文字通り「学問のススメ」だ。冒頭は「学は以て已むべからず。青は之を藍より取りて、藍よりも青し」。学問はやめてはならない、青の染料は植物の藍から取るが、藍よりも青い。このように、**学問を続ければ、もとを超えることができる**。そう荀子は力強く主張する。今は弟子が先生を超えることの比喩として使われるが、かつては学問によって悪なる本性を乗り越えられると解釈された。学問で人は変われるのだ。

では、何を学ぶのか。それは「**礼**」だ。人の性は悪で、そのままでは混乱をもたらすから、**古の聖王は礼義・法度をつくって人々を教え導くことにした**。礼を通じて人々に貴賤・尊卑・長幼などの「分」を弁えさせる。礼は社会秩序そのものだ。礼がなければ、人は生きていけず、国家は安定しない。しかし、礼が完備しても、それを守らない不届き者は現れる。そんなときは「**法**」の出番だ。門下の李斯や韓非は、国家運営を至上の目的として「礼」よりも、この「法」の役割を重視した。こうして儒家から真逆の法家が生まれたのだ（※諸説あり）。

この本のポイント

❶ 荀子は孟子の性善説を批判して性悪説を説き、礼による統治・秩序を志向した。
❷ 性悪説にせよ、礼治思想にせよ、僕たちが直感的に納得するのは荀子のほうだ。
❸ 手軽に楽しむなら角川ソフィア文庫。全文を見たいなら岩波文庫がオススメ。

6『老子』

老子？

儒家のライバルである道家。その開祖が老子だ。抽象的で逆説に満ちた、率直に言って意味不明な言葉が魅力。「ああしろ、こうしろ」とうるさい儒家に対し、「何もするな、黙ってろ、ただ生きろ」と強力なメッセージを発する。

『老子』蜂屋邦夫 訳注／岩波文庫

老子（生没年不詳）：春秋時代（前770〜前403）の人。姓は李、名は耳、字は聃。正体は諸説あり。渡印して釈迦になった説もある。周の衰えを見て西方に旅立つ際、関守に請われて『道徳経』を書き残したとされる。のち道教の神（太上老君）になった。

文字量

難易度

「老子」って誰？

老子の正体は不明だ。最古の正史（公式歴史書）『史記』には三人の老子候補が出てくる。一人目が老聃。楚の苦県厲郷曲仁里の人で、姓は李、名は耳、字は聃、周の図書館の役人だった。出身地が「苦（苦難）」「厲（疫病）」「曲仁（ゆがんだ仁徳）」ってマジ？　この老子に孔子が礼を問うた。すると、老子は「私は君子ですという顔をしとるな。その驕気と多欲と態色と淫志を去れ。おまえに言えるのはそれだけだ」と一喝した。別れた後、孔子は弟子に「老子はまるで龍のようだ」と激賞したという。正直、**後づけの伝説の臭いしかしない**。

老子の魅力

二人目が老萊子。老聃と同じ楚の人で、孔子と同時代、十五篇の本を書いたらしい。三人目が太史儋。周の史官で、孔子の死から一二九年後に秦の献公に謁見し、覇王が出ると予言した。この儋こそが老子という人もいるし、そうではないという人もいる、と『史記』は煮え切らない。

『老子』の魅力は、**わけのわからなさ**だ。第一章がいきなりこれ。

★**道の道とす可きは、常の道に非ず。名の名とす可きは、常の名に非ず。**
（これが道だと示せる道は、常の道ではない。これが名だと示せる名は、常の名ではない）

さっそくわからない。

これが「道」だと言えるものは常の「道」じゃない、といきなり説明放棄。このあと★「名無きは天地の始め、名有るは万物の母（天地の始めに名はなく、名があって万物の母となった）」と続くけれど、「名」が何かはっきり言えないから、やはり**わからない**。

★**孔徳の容、唯だ道に是れ従う。道の物為る、唯だ恍唯だ惚。惚たり恍たり、其の中に象有り。恍たり惚たり、其の中に物有り。**（第二十一章）

（偉大な徳のふるまいは、ただ道にだけ従っている。道という物は、ぼんやりぼんやりしている。ぼんやりぼんやり、その中に形があり、ぼんやりぼんやり、その中に物がある）

こんな、**わかるような、わからないような、モヤモヤとした文章が続く**。

だからこそ、「我こそは『老子』を理解したり！」という頭脳自慢たちが、さまざまな注釈をつけていく。**正解を出せないからこそ『老子』は魅力的**なのだ。

現代の読者である僕たちは、先人たちの見解を尊重しながらも、「甚だ解するを求めず（徹底的に理解しようとはしない）」（五柳先生伝）と述べて、小事にこだわらない鷹揚な読書態度をよしとした陶淵明にならい、自由闊達に『老子』を楽しみ、時には、自分なりの解釈を、耳から血が出るほど考えたりするのがいい。

逆説で語られる生き方

★為す無きを為し、事無きを事とし、味無きを味わう。……難きを其の易きに図り、大なるを其の細さきに為す。天下の難事は必ず易きより作り、天下の大事は必ず細さきより作る。是を以て聖人は、終に大を為さず、故に能く其の大を成す。

（無為を為し、無事を事とし、無味を味わう。……困難には安易なうちに対処し、大きな事態には小さなうちに対処する。天下の困難は必ず安易なところから起き、天下の大事は小さなところから起こる。だから聖人は、決して大きなことはしない、だからこそ大きな仕事をしてみせる）

逆説の極みだ。為とは、わざとらしく行うこと。無為とは、さらっと自然に行うこと。一流の人間は、難しいことを簡単にやってのける。これが「無為」。私がんばってます、褒めてください的に何かやっているのが「為」。凡人はいつも何かに追い詰められたように必死にがんばっているけれど、聖人は追い詰められる前にすべてをこなしているから、大変そうに見えない。だから「★**太上は、下、之有るを知るのみ**（最上の君主は臣民に知られているだけだ）」（第十七章）。**最上の君主は何もやっていないように見える。**だから臣民はその存在を知っているだけなのだ。

★**学を絶たば憂い無し。唯と啊と、相去ること幾何ぞ。**（第二十章）
（学問をやめてしまえば、思いわずらうことはない。唯と啊がどれほど違うというのか）

学を為すは日に益す。道を為すは日に損ず。之を損じて又損じ、以て為す無きに至る。
（学問は毎日〔学んだことが〕増えていく。道を行うには毎日〔することを〕減らしていく。減らしたうえに減らして、最後に何もしないに至る）（第四十八章）

学ぶから、ああしなきゃ、こうしなきゃと「為」が増える。そんな「為」を減らしていき、**ただ道に従って生きるのみ**という無為の境地に至る。これが理想。★「**知る者は言わず、言う者は知らず**」（第五十六章）と、老子は学問どころか言葉さえさげすむ。「沈黙は金なり」だ。

『老子』は**多く出土している**。『老子』は二千年以上前に成立し、竹簡（竹を薄く削ったもの）や帛書（絹布）に記録された。そしてどこかのタイミングで媒体が紙に替わり、最初は手写で、やがて木版印刷でプリントされた。この伝世の過程で、誤字脱字や添削が入るから、僕らが手に取る『老子』は、オリジナルから遠いものになっているはずだ。

一九七三年に漢代の墓から帛書『老子』が二種、一九九三年には戦国時代の楚国の墓から竹簡本『老子』が三種出土し、さらに二〇〇九年、盗掘されて海外に流出していた漢代の竹簡本『老子』が北京大学に寄贈された。つまり、出土した『老子』は計六種に及ぶ。

これらは、オリジナルに近い時代の書写本が、タイムカプセルのように埋められたものだ。それだけ人の手は加わっていない。だから、少しでも原形に近い『老子』を知りたいなら、出土資料を見ないわけにはいかない。

実際、「**大道廃れて仁義有り**（大いなる道が廃れたから仁義が説かれるようになった）」（第十八章）や「**仁を絶ち義を棄つれば、民は孝慈に復す**（人君が仁愛や正義をすててしまえば、人民は孝心や慈愛に満ちた状態に戻る）」（第十九章）といった儒家の仁義を批判したとして有名な句が、帛書や竹簡本では「**大道廃れて安くんぞ仁義有らんや**（大道が廃れたら仁義は存在しなくなる）」「**偽を断ち慮を棄つれば、民は孝慈に復す**（偽りや賢しらな知恵をすてれば、民は孝心・慈愛に回帰する）」となっており、簡単に儒家批判の句だとは断定できなくなった（※諸説あり）。

というわけで、最新の研究成果を取り入れた全訳を見たいのであれば、講談社学術文庫版を。こだわらないなら、全訳はたくさん出ているので、お好きなものを。僕は小川環樹訳推し。

この本のポイント

❶ 正解を求めてはいけない。好きに解釈していい。考えるな、感じるんだ。
❷ 逆説に満ちた名言・迷言の数々に翻弄されるのを楽しむ。
❸ 出土資料が豊富だから、今後、解釈が大きく変わる可能性がある。

7 『荘子』

荘子

『老子』に始まる道家思想をさらに突き抜けさせたのが『荘子』。スケールの大きな寓話の数々を通じて、一切合切が瑣末なことだと感じさせてくれる。西行、芭蕉、良寛、漱石、鷗外、湯川秀樹らが愛した中国古典だ。

『荘子』金谷治 訳註／岩波文庫

荘子(生没年不詳):戦国時代(前403〜前221)の人。名は周。字は子休。老荘と並び称され、老子の後継者のように扱われているが、実際は不明。荘子が先行する可能性もある。道教の神となり、唐の玄宗皇帝から南華真人の称号を与えられた。

文字量 📖📖📖

難易度 ???

老子と荘子で老荘思想

荘子は老子とともに**道家を代表する思想家**で、孟子と同じ戦国時代中期の人である。姓は荘、名は周。漆畑の管理人だったが、その名は天下に轟き、楚の威王が宰相として迎えようとした。荘子は使者に「祭祀で生贄にされる牛はご存知か。数年間養われたのち、錦を着せられ、大廟に引かれていく。このときになって豚になりたいと願っても、もはや手遅れ。失せろ。私は(一時の富貴とひきかえに)君主に縛られるよりも、(豚のごとく自由に)泥の中で楽しく遊んでいたいのだ」と言って追い払った。そう『史記』にある。

同じ話は『荘子』にもある。そこでは「自分は剥製にされて廟堂で崇められる死せる神聖な亀になるよりも、泥の中で尾を引く生ける亀でいたいのだ」（秋水）と、宰相となって縛られるよりも、庶人の身分にとどまって**自由に生きたい**と応じたことになっている。

人は出世や富貴を求めるが、それとひきかえに自由を失う。効率を重んじ、出世や富貴だけが正義となり、仕事に追われ、楽しみもなく、築いた信用・名声を失わないために自分を曲げ、上司や世間の目ばかりを気にする。**荘子はそうした生き方を否定**する。伯夷・叔斉（武王を諫め、聞き入れられないと、隠棲して餓死に甘んじた）のごとき賢人も、荘子に言わせれば、「名を行いて己を失う」（大宗師）、**名声にとらわれて自分を見失った愚人**だ。

老子は「無為（がんばるな）」「寡欲（欲しがるな）」「柔弱（譲れ、負けろ）」を説きながら、「柔よく剛を制す」「負けるが勝ち」「謙虚に無欲に恬淡としてがんばらないほうが最終的に出世できる」というビジョンを描く。**『老子』は処世術として実用的**だ。

一方、荘子の教えを実践しても出世には結びつかない。荘子はそもそも富貴や美貌といった僕らが求めるものに価値を認めない。「毛嬙・麗姫は誰もが認める美人だが、彼女らを見て、魚は深く潜り、鳥は飛び立ち、鹿は逃げ出す。人・魚・鳥・鹿のうち、本当の美を知るのはどれか」（斉物論）と荘子は問いかけ、仁義も是非も、この美醜と同じで、自分にはその区別はできないと言う。**絶対的な価値などない**。そんなものにとらわれるなと教えてくれる。

胡蝶の夢

『荘子』は寓話が九割と荘子自ら言う（寓言）。寓話とは、イソップ物語のような、他のことに仮託して思想や教訓を語る説話で、四書や『老子』ではあまり見られないけれど、この『荘子』や『韓非子』には数多くの寓話が登場する。たとえば、「胡蝶の夢」。

かつて私は蝶になった夢を見た。楽しくひらひら羽ばたき、自分が荘周であることをすっかり忘れていた。ふと目覚めると、荘周だった。でも、わからない。荘周が夢で蝶になったのか、それとも蝶がいま夢で荘周になっているのか。蝶と荘周との間には必ず「分」はある。これを「物化」という。（斉物論）

夢と現実は区別できるか、今が夢ではないとどう証明するのか、という疑問は魅力的だけれど、荘子としては蝶でも人間でもかまわない。変化しただけだ。「**分は常なく、終始は故(なず)むなし**」（秋水）。物の「分」は転々と変化し、生滅をくりかえして執着を許さない。蝶になっても死んでも、それを受け入れるだけ。「**将(おく)らず迎えず、応じて蔵せず**」（応帝王）。去る者は追わず、来る者は拒まず、応じて心にとめない。それを語るのが次の寓話だ。

荘子の妻が死んだ。恵施が弔問に訪れると、荘子はあぐらをかいて土の甕をたたいて歌っていた。恵施がなじると、荘子は「初めは悲しかったよ。でも妻の始まりを考えると、おぼろなとらえどころのない状態から、やがて気（万物の材料）ができ、変化して形ができ、変化して生命（妻）となった。そして、いま変化して死に帰るのだ。四季のめぐりと同じだ。妻が天地の部屋で寝ようとしているのに、私が追い縋って大声あげて泣くのは、我ながら運命の道理に通じていないと思ったから、泣くのをやめたんだ」と応じた。（至楽）

この寓話では、生死も変化の一つとして受け入れる荘子の姿が描かれている。このように、**すべてを受け入れてありのままに生きる**ことこそが荘子の教えだ。自分がブサイクだとか人生うまくいかないとかで悩むのは無意味。美醜も成功も、誰と比較するかで決まる相対的なものに過ぎない。そう悟り、一切を受け入れられたとき、人は自由になれるのだ。

この本のポイント

❶ 努力して出世してもイーロン・マスクには勝てない。価値は所詮相対的なもの。
❷ 一切を受け入れてありのままに生きろ。忘我の境地に至れ。そこに自由がある。
❸ 訳本でも難解なので、玄侑宗久『荘子』（NHK出版）の解説本がオススメ。

8『世説新語』

劉義慶

愛好家が多い『三国志』の時代を含む、後漢末から東晋に生きて死んでいった人々の逸話を記録したもの。世俗的な価値規範に縛られない自由奔放な人々を見ていると、自分の生き方も再考したくなる。

『世説新語』井波律子 訳注／東洋文庫

文字量 難易度

劉義慶(403〜444)：南朝宋(420〜479)の人。宋の武帝の甥。文学を愛し、鮑照などの一流の文学者を集めてサロンを開き、『世説新語』のほか、詩文選集の『集林』、志怪小説『幽明録』などを編纂した。

中国の機知を思う存分どうぞ

『世説新語』は、後漢（二世紀末）から東晋（五世紀初）に至る人士たちの逸話を一一二〇条も集めたもの。東晋に続く南朝宋の皇族劉義慶によって編纂された。

怪異を記録した「志怪小説」に対して、人間の言行を記録した「志人小説」とも呼ばれる。小説といっても「取るに足らない巷間の野史・説話」程度の意味。創作物ではなく、あくまでノンフィクションの記録集だ。徳行、言語、政事、文学、方正、雅量など、三十六の部門に分けて採録されている。

オススメは第二十五篇以下、排調（相手をやりこめる）、軽詆（相手を侮蔑する）、仮譎（相手をだます）など、**人間の負の逸話を集めた諸編**だ。

曹操は常々側仕えの者に警告した。「わしが寝ている間はみだりに近づいてはならぬぞ。人が近づくと即座に斬り伏せてしまうのだが、自分では覚えておらんのだ。おまえたち、くれぐれも気をつけろよ」と。その後、寝たふりをし、お気に入りの一人が気を利かせてふとんを被せると、曹操はためらうことなく斬り伏せた。以降、曹操が寝ている間、近侍は誰も近づかなくなった。（仮譎）

曹操の**狡智あふれる逸話**だ。就寝中、人は無防備になる。猜疑心の塊の曹操は、側仕えの者も信用しておらず、彼らに寝込みを襲われないよう一計を案じた。まず「寝ている間、人が近づくと、自動発動で斬り伏せる」という嘘を吹き込む。そのうえで一芝居打つ。寝たふりをし、実際にひとり、しかもお気に入りの者を斬り伏せてみせるのだ。これで側仕えの者は、就寝中の曹操に近づかなくなった。**ひとりの命を犠牲にして身の安全を確保**したわけだ。

行軍中、喉の渇きに苦しむ兵士たちに「前方に梅林があるぞ」と嘘をつき、それを聞いた兵士たちの口の中に唾液が湧き、危機を凌いだという有名な話も、この仮譎篇にある。

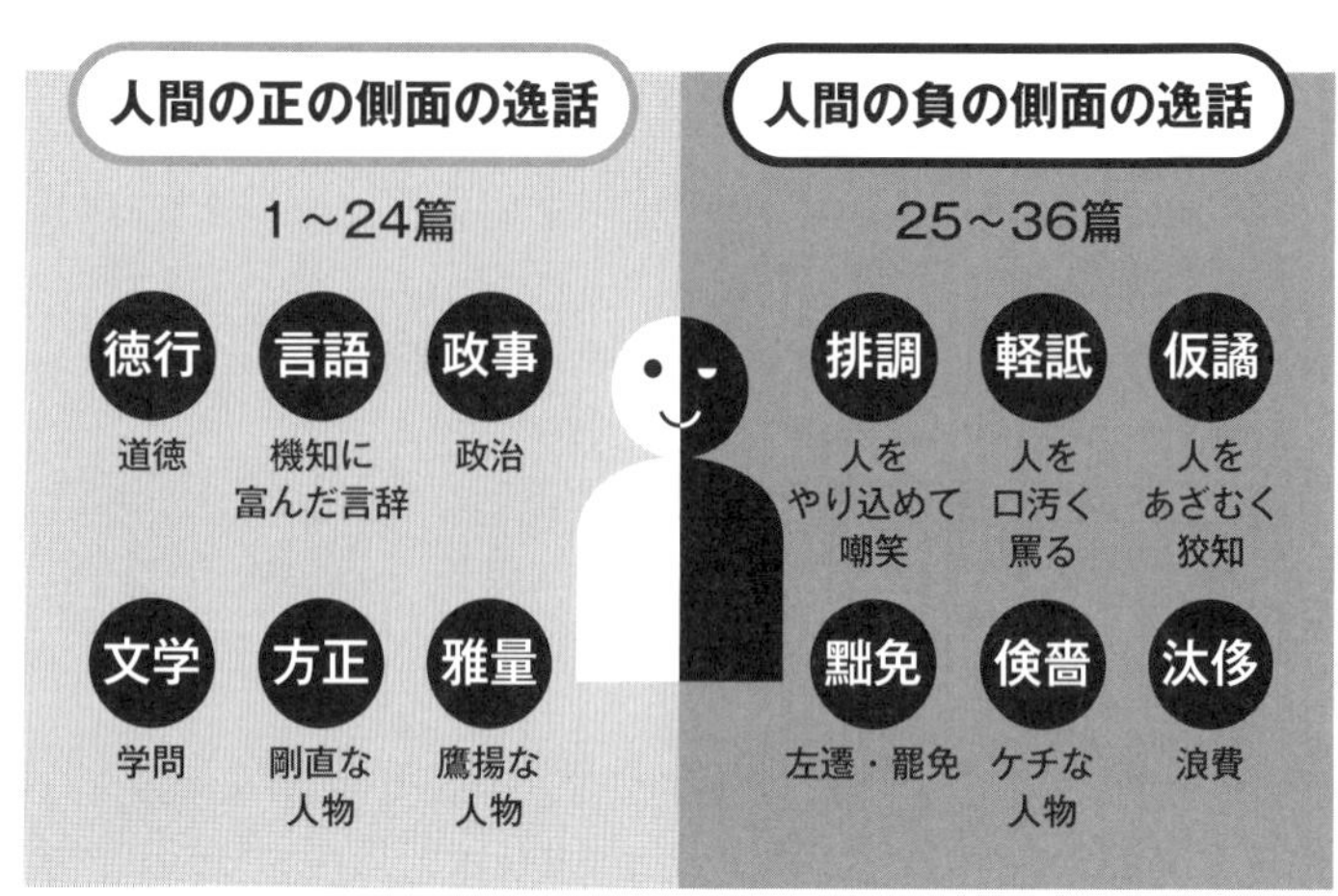

個性豊かな生きざまから学ぶ

『世説新語』では、さまざまな人間が描かれている。高潔な人間もいれば、俗物もいるし、冷酷な人間もいるし、控えめにいってクズもいる。保身、出世、転落、機智、能弁、度量、狡猾、陰謀、非情など、さまざまな人間模様を味わえる。

たとえば、**張季鷹**（ちょうきよう）。彼は世俗にとらわれず、自由気ままに生きる男で、「江東の阮籍（げんせき）」と呼ばれていた。ある人から「気ままに楽しむのもいいが、死後の名声は考えないのかい」と問われると、彼は「**死後の名声よりも、いまこのときの一杯の酒のほうがいい**」と答えた。死後に名声をくれるなら、いま一杯でいいから酒をくれと。かっけえ。

ここに出てくる阮籍は、「竹林の七賢」の筆頭だ。**竹林の七賢**とは、文学を愛し、酒を好み、竹林に遊んで**清談**（老荘思想をもとにした哲学談義）を楽しんだ、七人の人士を指す。権力者に屈せず処刑された志士の**嵆康**（けいこう）**、**世渡り上手で嵆康に絶交された能吏の**山濤**（さんとう）、結婚する甥に着物を贈ったが、のちその代金を請求した守銭奴の**王戎**（おうじゅう）など、個性豊かな面子（めんつ）がそろっている。

阮籍は酒好きで、歩兵校尉の官に就いたのも、その役所の調理場に大量の酒が蓄えられていたからだ（任誕）。母が死んだときも、時の権力者が彼を懐柔しようとしたときも、阮籍は大酒を飲んで酩酊し、超然としていた。当時は**世俗の価値規範**（特に儒学）**を無視した態度を「かっけえ」と見なす**風潮があった。阮籍は**僕らにできないことをやってのけるヒーロー**だった。

『世説新語』が編纂されたのは、儒学に対する反感が募り、老荘思想がもてはやされた時代だ。また北方の異民族との交雑も進み、価値観が大きく転換した時代でもあった。そんな時代を背景に描かれた多様な人間模様。それが『世説新語』の魅力だ。

この本のポイント

❶『世説新語』は、多様な人間像を描いた逸話集。
❷世俗的な価値規範に縛られない自由奔放な人々が魅力。クズも悪口もいっぱい。
❸一話一話が簡潔。通読はせず、お気に入りの話を探す感じで読むのがオススメ。

9『菜根譚』

洪自誠

『菜根譚 ビギナーズ・クラシックス 中国の古典』湯浅邦弘／角川ソフィア文庫

明末に生まれた処世訓の一つ。松下幸之助、田中角栄、吉川英治、野村克也らに座右の書として愛され、中国古典の中でも抜群の知名度を誇る。生きづらい世の中を生き抜く知恵に満ちた本書は、今こそ読まれるべき古典だ。

文字量 難易度

洪自誠（生没年不詳）：明（1368～1644）の人。名は応明。自誠は字。書名は『小学』が引く汪信民の言葉「人、常に菜根を咬み得ば、即ち百事做すべし」より。正史に伝がないので、彼の人生はよくわかっていない。

処世訓のチャンピオン

人は中国古典に何を求めるのか。それは生き方である。『論語』や『老子』だけでなく、『易経』も『顔氏家訓』も『史記』も、人々は生き方を求めて読む。そうした生き方の中でも、**社会生活を送るうえで役立つ教え＝処世訓**の代表が『**菜根譚**』『**呻吟語**』である。

『菜根譚』が生まれたのは明（一三六八～一六四四）の末期。社会の退廃が進み、官僚は腐敗して私利私欲に走り、民衆は彼らの収奪にあって困窮するばかり。心ある官僚が世を救おうとしても（これを**経世済民**、略して**経済**という）、腐敗官僚から弾圧を受ける始末。

書名「菜根譚」の由来

出典

小学

著・朱子

（南宋）

王信民の言葉

人、常に菜根を咬み得ば、即ち百事做すべし

＝

「（野菜の根は硬くて筋が多いけれど）苦しみを噛みしめて噛みしめて、その先に味わい深い人生が待っている（あらゆることは成し遂げられる）」というメッセージ

こうした中、顧炎武・黄宗羲らの学者が、学問は社会改革に用いられなければならないとする「経世致用の学」を唱え、その一方で**洪自誠・呂新吾は『菜根譚』『呻吟語』という二大処世訓を生んだ**。生きづらい世の中をどう生きるかの知恵が詰まっている。

著者の洪自誠の詳細は不明だ。元官僚で、引退後に田舎にひっこみ、人生を振り返りながらこの書を著したとされる。

形式は数十字の短文を三六〇ほど並べたもの。一つ終わると改行し、また一つ終わると改行する。内容は儒学を基礎に、老荘思想や仏教の影響も色濃く受けたもので、「（儒教・道教・仏教の）三教融合」とも指摘される。中国の知識人には珍しくないことだ。

人生を平穏無事に過ごすための知恵

実際に洪自誠の言葉を見てみよう。一条は三十字程度の対句で、整然としていて美しい。

完名美節は、宜しく独り任ずべからず。些かを分かちて人に与うれば、以て害を遠ざけ身を全うすべし。辱行汚名は、宜しく全くは推すべからず。些かを引きて己に帰せば、以て光を韜み徳を養うべし。（前集十九）

（完全な名誉、立派な節操という評判は、独り占めしてはいけない。そのいくらかを他人に譲り与えれば、危害を遠ざけ、身をまっとうすることができる。不名誉な行為や評価は、それをすべて他人に押しつけてはならない。そのわずかでも自分が引き受ければ、自分の才能をひけらかすことなく人徳を養うことができる）

成功したときは、すべて自分の手柄にしてはいけない。家族や同僚に感謝し、その名誉を分かち合う。一方、悪い評判を他人にすべて押しつけてはいけない。むしろ自分から進んでその責任を引き受けてみせる。そうして自分の才能を誇らず、謙虚に控えめにふるまう。

これが、害を遠ざけて人徳を養う方法だという。

仮に自分がプロ野球選手で、試合に勝利した場合、全得点を自分が叩き出していても、出塁してくれた味方打者、敵を1点に抑えてくれた味方投手を称え、そのうえ家族にも感謝する。逆に敗戦した場合は、得点機会をことごとく逃した自分にも非があると潔く認め、初回8失点の若手投手や大事なところでエラーしたベテラン二塁手を決して責めない。人生を平穏無事に過ごしたいなら、こうした気配りが必要だ、というわけ。納得。

『菜根譚』は、逆境をしのげ、謙虚にふるまえ、名利を分かち合え、家族や友人には寛容に、部下をきちんと褒めろ、といった教えを、**数十字の対句で淡々と重ねていく**。一つひとつ独立しているので、テキトーにページを開いても得るものがある。たとえば、★「友に交わるには須らく三分の侠気を帯ぶべし★（友人と交際する時には、自分の利害を離れる侠気〔おとこ気〕が三分くらいなくてはならない）」とか★「爵位は宜しく太だしくは盛んなるべからず★（爵禄や官位は頂上まで極めないほうがよい）」とか。人生にしんどさを感じている人にぴったりの一冊だ。

この本のポイント

❶ 『菜根譚』は処世訓。生きづらい世の中をどう生きるかの知恵が詰まっている。

❷ 一つひとつは短い教えが三六〇ほど並んでいる形式。どこから読んでもよい。

❸ 菜根のように、何度も何度も繰り返し味わううちに、その真価は見えてくるぞ。

10『呻吟語』

呂坤

明末に生まれた処世訓の一つ。多くの偉人を魅了した『菜根譚』に対して知る人ぞ知る名著だ。膨大な呻吟の中に、「分を知れ」「過ちを認めよ」「あの世に『物』は持っていけないぞ」といった普遍的な教えが並ぶ。

『呻吟語 ビギナーズ・クラシックス 中国の古典』湯浅邦弘／角川ソフィア文庫

文字量 📖📖📖

難易度 ???

呂坤(1536～1618)：明(1368～1644)の人。字は叔簡。新吾は号。『呻吟語』のほか多くの著作を残したが、地方官としての経験を活かし、政治について具体的に論じた『実政録』は、特によく読まれたとのこと。

『菜根譚』と並ぶ処世訓の双璧

著者の呂新吾（呂坤）は、『菜根譚』の著者洪自誠と同じ明末の官僚だ。二十六歳で役人になり、順調にエリート街道を歩んだが、六十二歳のとき中央政界の腐敗を訴える上奏文を提出。それを機に政敵の誹謗中傷を受け、官界を去ることになった。洪自誠は田舎にひっこんでから『菜根譚』をまとめたけれど、呂新吾は新米官僚時代の二十六歳から三十年以上にわたってコツコツと「呻吟（病人がもらすうめき声）」、つまり**明末の退廃した社会や腐敗した官界に対する嘆き**を書きつらねた。その数千九百七十六条。よほど言いたいことがあったのだろう。

『菜根譚』も、『呻吟語』も、社会にはびこるクズどもに対する憤怒・愚痴・呪詛に満ちていてもおかしくないけれど、実際は、そうした中でいかに自分は立派な人生を送るか、クズに囲まれながらもいかに軋轢を起こさずに静穏な人生を送るかの知恵が書きつらねてある。ＳＮＳでトラブルを起こしがちな人は一度、彼らの知恵を借りてみるとよいだろう。

さっそく『呻吟語』の知恵を味わってみる。

たとえば、★「**真機真味は涵蓄せんことを要す。点破するを休めよ。**其の妙は窮まり無く、言いて喩すべからず。聖人の言う無き所以なり★（真の妙機や真の妙味は、涵蓄（心の中に含みたくわえること）が大切だ。露骨に言葉に出してはならない。真実の神妙さは極まりなく、言葉では解き明かすことなどできぬ。聖人が言うのをやめた理由はここにある）」。僕流に超訳すると、「**マジで微妙なことは黙って心にしまっとけ。しゃべるな。つぶやくな。**無限に微妙なんだから、言葉にしたって相手に伝わるわけがねえ。だから聖人は黙ってみんなが気づくのを待ってるんだぜ」という感じ。あと、これも。★「**『忍激』の二字は、是れ禍福の関なり**★（「忍激」（じっと我慢するか、感情を発散させてしまうか）の二字こそ、幸と不幸の分かれ目である）」。超訳は「**ここで黙って耐えられるか、激情に身を任せてなんかやっちゃうかで、これから先の展開が決まるぜ。**まあ、落ち着けって。ここで怒って不用意にやらかしたら、禍のもとだぜ」という感じ。ＳＮＳでも、怒りに任せて不用意に発言すると、炎上してひどい目に遭う。冷静沈着さがともかく大事。

357条

一つひとつは対句で、一文あたり数十字の短文。テーマごとの分類はなし。端的で読みやすく、味わい深い。日本ではビジネスパーソン必読の書として有名

1976条

文章は比較的長く、各条でバラバラ。形式も、対句あり、対話ありでバラバラ。性命、存心、倫理、修身など、テーマごとに分類。日本ではあまり読まれない

呂新吾は「**徳性は収斂沈着なるを以て第一と為す**（天から受けた道徳的本性は、心が引き締まり落ち着いていることを第一とする）」と述べ、人間に備わる本性の第一は**心を引き締めて落ち着くこと**にあると言う。

「**深沈厚重なるは、是れ第一等の資質**（心が落ち着いて物事に動ぜず、どっしりとしていることは、〔人として尊重される〕第一の資質である）」とか、「**静の一字は、十二時離れ了らず**。一刻も纔かに離るれば便ち乱れ了る（「静」の一文字からは、一日中離れてはならない。一瞬でもわずかに離れると、心は乱れてしまう）」とか、「**造化の精、性天の妙は、惟だ静観者のみ之を知る**（〔宇宙の〕造化や本性・天道の精妙さは、ただ静観する者だけがそれを理解する）」とも言う。

とにかく**まずは落ち着け**ということだ。

善なる者必ずしも福ならず、悪なる者必ずしも禍あらず。君子は之を稔知するなり。寧ろ禍ありて悪を為すを肯ぜず。忠直なる者は窮し、諛佞なる者は通ず。君子は之を稔知するなり。寧ろ窮して佞を為すを肯ぜず。但だ理に当然有るを知るのみに非ず、亦た其の心に已むべからざる所有ればなるのみ。（修身篇）

（善人が幸福だとは限らないし、悪人が不幸だとも限らない。君子はこのことをよく知っている。むしろ不幸な目に遭っても決して悪事をなすをよしとしない。まことの心を持つ者は困窮し、へつらい者はうまくすり抜けていく。君子はこのことをよく知っている。むしろ困窮しても不正を働くことをよしとしない。それはただ当然の道理を知っているばかりではなく、またその心にやむにやまれぬものがあるからだ）

出典：『別冊NHK100分de名著 菜根譚×呻吟語―成功から学ぶのか、失敗から学ぶのか』湯浅邦弘／NHK出版

善いことをすれば福が、悪いことをすれば禍がやってくる、と僕らは思いたいけれど、世の中はそんなに単純ではない。むしろ正直な人がひどい目にあったりするし、上司に取り入るのがうまいだけの人間が順当に出世するのを見れば、地道に働いているのが愚かしく思えてくる。でも、君子たるものは、そうとわかっていても**「佞（ゴマすり）」に走ったりはしない**、心がそれを許さないからだ、と呂新吾は言う。すごくよくわかる。

呂新吾は三十年間、官僚として心力を尽くしたが、「偽」を除けなかったと告白する。その「偽」は六つ。①誠実な心で民に尽くしても、心の中で自分の徳を少しでも誇れば**偽**、②誠実な心で善行をしても、心の中で人に知られたいと少しでも願えば**偽**、③道理としてすべきことを十分にしても、わずかなことで人と争い、満足できないなら**偽**、④正義心にあふれていても、少し利己心があれば**偽**、⑤白昼は善行を尽くしても、夜、悪事を夢みれば**偽**、⑥心の中では九分なのに、十分みたいな顔をすれば**偽**だと言う。

かなり厳しい。自分がよいことをすれば、自慢したいし、知ってもらいたい。少しは人と争うだろうし、思い通りにいかず不満を抱くこともあろう。上司に褒められるかも！　昇進昇給もあるかも！　と少しは下心もわくものだ。夢の中で悪いことをするのもダメとか、全力を尽くした顔をしたらダメって、そりゃあんまりだ、呂新吾よ。

抄訳だけれど、角川ソフィア文庫版が内容的にも手軽さ的にもオススメ。

この本のポイント

❶『呻吟語』は処世訓。生きづらい世の中をどう生きるかの知恵が詰まっている。
❷テーマごとに分類はされているが、好きなところを開いて好きに読めばいい。
❸心に響く言葉と出会えたら、書き出して座右の銘にするのもかっこいい。

第2章

世界はどんな形をしているか

11 『易経』

伏羲（八卦）、文王（卦辞）ほか

『易経 ビギナーズ・クラシックス 中国の古典』三浦國雄／角川ソフィア文庫

『易経』は占いの本だが、「五経」の筆頭に置かれている。陰・陽ふたつの原理から、宇宙・人生の森羅万象の理を明らかにする。謎めいた卦辞・爻辞を読み解くことで、人生・処世の知恵を得られる。

文字量

難易度

八卦の作成者とされる伏羲は三皇の一人。人面蛇身。神話上の存在。妻は女媧。六十四卦と卦辞の作成者とされる文王は周王朝の創始者。爻辞の作成者とされる周公旦は文王の子。十翼の作成者とされる孔子は儒家の祖。

元祖スピリチュアル系の『易経』は謎めいている

「当たるも八卦、当たらぬも八卦」

占いは当たることもあるし、当たらないこともある、という、ある意味、無責任な言葉である。この「八卦」とは、**乾**☰・**坤**☷・**震**☳・**巽**☴・**坎**☵・**離**☲・**艮**☶・**兌**☱という八種の卦を指す。『易経』の語であり、つまり『易経』とは占いの本である。周の文王がこの八卦に八卦をかけて八×八＝**六十四卦**をつくったとされている。

たとえば、六十四卦のひとつ「**乾**䷀」の卦辞・爻辞（＝占い結果）を見てみよう。

（卦）**乾　万事順調。占ったことにはよい結果がある。**

（爻）**初九**　じっと隠れている龍。行動するな。

九二　龍が地上にあらわれた。大人（たいじん）に会える。

九三　君子は一日中せっせと頑張り、夕方になっても恐れ慎めば、危険はあっても災難には至らない。

九四　天にまで躍り上ろうとも思うが、やはり深い地中に潜っている。災難はない。

九五　飛龍が天空にある。大人に会える。

上九　高く昇りすぎた龍。後悔するだろう。

用九　群がっている龍が見える。首がない。吉。

と、まあ、こんな感じ。神社でおみくじを根こそぎ買ってきて、「中吉：学問　成就するとかしないとか／待ち人　来らず」とあるのを、最初から最後まで通読するようなものだ。しかも「群がっている龍が見える。首がない。吉」とかある。正直、わけがわからない。「龍に首がない」と言われても、龍はそもそもどこまで首かわからないだろ、とつっこみたくなる。

この卦辞・爻辞が『易経』の本体＝「**経**」である。もちろん、このままではなんとでも受け取れるので、詳細な注釈・解説＝「**伝**」がつく。

八卦の体系

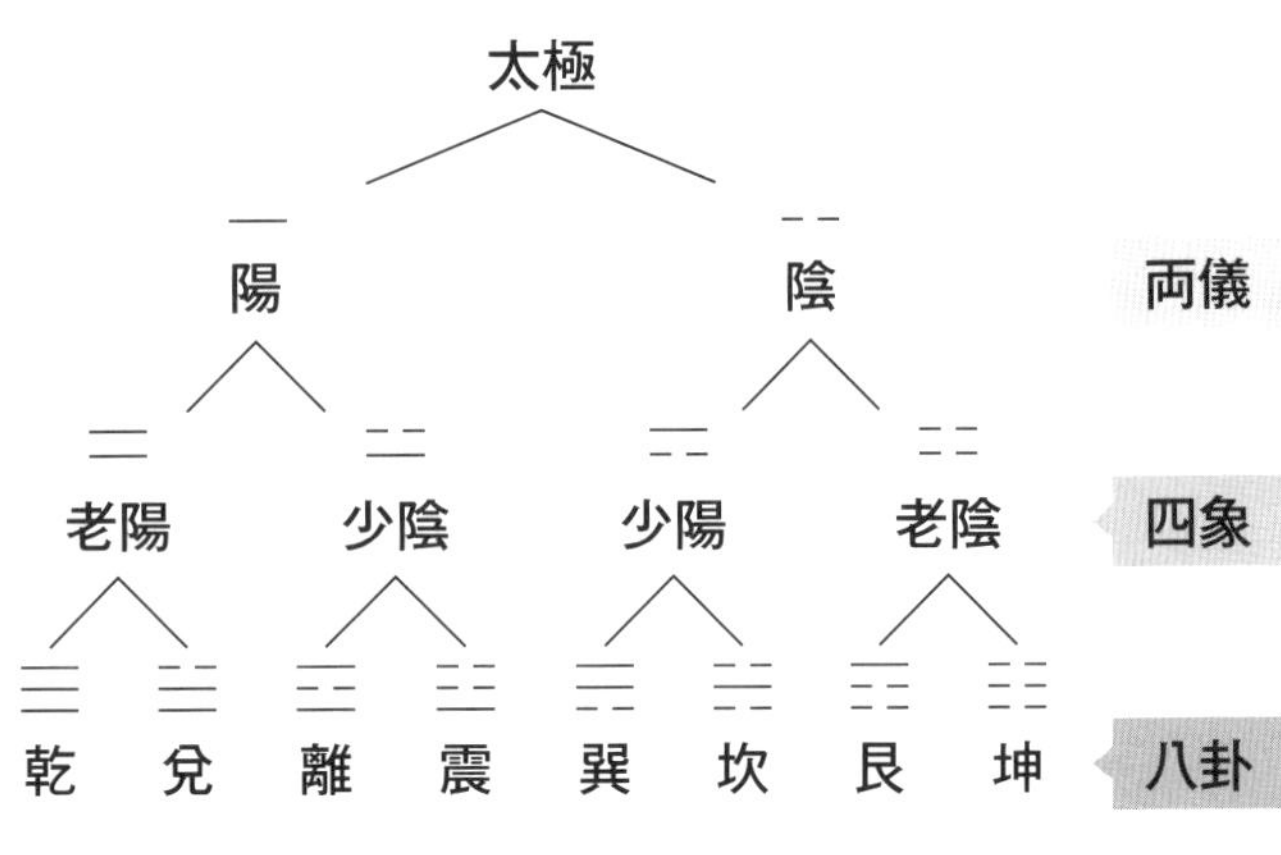

それが彖伝や象伝で、孔子の作とされる。

彖伝は「万事順調（元亨利貞）」という卦辞について「大いなるかな乾元」云々と述べ、**「乾」とは万物を統べる徳であり、ここにある六龍の教えに従うことで天道を駆動し、大自然を調和し、万国は安寧を得る**と解説する。

また象伝は「初九」から「用九」までの七つの爻辞について、たとえば、「『龍が地上にあらわれた』とは徳があまねくゆきわたるという意味だ」と一つひとつ説明してくれる。

僕たちは、彖伝上下、象伝上下に加え、文言伝、繋辞伝上下、説卦伝、序卦伝、雑卦伝という十種の注釈（「十翼」）に助けられながら、卦辞・爻辞を読み解いていく。**『易経』の言葉は宇宙・人生の理を明らかにするものであり、『易経』が語らぬものはない。**

『易経』を通読することで、僕たちは壮大なスケールの宇宙観を味わい、そこから数々の箴言を読み取り、人生に活かせる。たとえば、「亢龍悔あり（高く昇りすぎた龍は後悔する）」からは、**満ちればやがて欠けるのが道理であり、最高の状態も長くは続かない**という警告を、「霜を履めば堅氷至る」からは、**大きな災厄にも微細な兆候があるから、鋭敏に察知して素早く対処せよ**という警告を受け取れる。このように、どこを開いても、何らかの人生・処世の知恵を得られるからこそ『易経』は読み継がれてきたのであり、人生・宇宙の理を明らかにし、過去・現在・未来に見通しを与えてくれるからこそ「**五経**」**の筆頭に置かれる**のである。

『易経』について踏み込んだ知識を求める場合は、髙田真治・後藤基巳『易経』（岩波文庫）がオススメ。冒頭に詳細な解説があり、卦辞・爻辞に加えて十翼の原文・書き下し文・通釈も載せる。原文などは不要で、『易経』の世界を気軽に味わいたいなら、三浦國雄『易経』（角川ソフィア文庫）がよき。僕が見た中では最も読者に寄り添ってくれている。

この本のポイント

❶『易経』は占いの本。でも人々はその謎めいた言葉に夢中になる。
❷陰陽の原理から人生・宇宙の理、過去・現在・未来を解き明かす。
❸その言葉から人生処世に役立つ知恵を読み取れるのが最大の魅力。

12『詩経（しきょう）』

孔子（編）

『詩経・楚辞 ビギナーズ・クラシックス 中国の古典』牧角悦子／角川ソフィア文庫

古代を生きた人々の歌。愛、別れ、嘆き、悲しみ、怒り、そして祈り。俗っぽくて古代中国のリアルを楽しめるのが『詩経』。幻想的な神話世界と屈原（くつげん）の高潔な心を歌いあげる『楚辞（そじ）』がその双璧。こちらも解説する。

文字量 ■■□

難易度 ?

孔子（前552?～前479）：春秋時代（前770～前403）の人。著書は一冊も残していない。『詩経』はかつて単に「詩」といい、周の天子が集めた名もなき人々の歌謡。三千余の歌から三百を選んだのが孔子だとされる。

名もなき人々の詩が儒家の経典になる

『論語』に、こんな話がある。孔子の息子孔鯉（こうり）が披露した父の思い出話だ。

父の前を私が小走りに通り過ぎると、父が私を呼び止めて「**詩は学んだか**」と一言。「まだです」と答えると、父は「詩を学ばなければ何も言えないぞ」と。私は退いて詩を学んだ。後日また父が私を呼び止めて「**礼を学んだか**」と一言。「まだです」と答えると、父は「礼を学ばなければ、立ってはいけない」と。私は退いて礼を学んだ。（季氏）

ここで孔子は、**詩を学ばなければ、まともな発言はできない、礼を学ばなければ、立つことはできない**、と息子に伝えている。

また孔子は弟子に「**小子何ぞ夫の詩を学ぶこと莫きや**（おまえたち、どうしてあの『詩』を学ばないのか）」と、『詩』の学習を薦める。詩は興味関心を刺激し、観察力を高めてくれる。詩を学べば、皆と仲良くできるし、不満をうまく形にできる。近くは父、遠くは君主にうまくお仕えできるうえ、鳥獣草木の名前だってたくさん覚えられると（『論語』陽貨篇）。

実際、歴史書の『春秋左氏伝』を見ると、社交の場面でしばしば詩が引用されている。上流階級の間では、詩は必須の教養だった。詩を自在に引用・理解できないようでは、彼らの仲間には入れなかった。孔子が「詩を学ばなければ何も言えない」と言うのもわかる。

『詩』は、**殷から春秋時代に黄河流域で名もなき人々が歌っていた詩**を集めたものだ。

各国の民謡を集めた「**風**（**国風**）」、宮廷の歌謡を集めた「**雅**（**大雅・小雅**）」、祖先の讃歌を集めた「**頌**」の三つに分けて収録されている。内容は、乙女の恋心もあれば、夫への不満もあり、結婚を寿ぐ歌もあれば、出征兵士の嘆きもある。意外に**俗っぽい**。そんな詩が、なぜ**五経**の一つになったのか。それは、数ある詩から**孔子が三百余篇を選んだ**とされるからだ。孔子が選んだ以上、その詩には**孔子が選ぶだけの何か**がある。

董仲舒の献策を受けて**前漢の武帝**（在位前一四一～前八七）が儒学を官学化したとき、**『詩』は易・書・礼・春秋とともに『詩経』となった**という。「**経**」とは、儒家が**最も尊重しなければならない大事な文**のこと。『易経』で言えば、卦辞・爻辞、『詩経』で言えば、詩だ。つまり詩は、**儒家の教え＝倫理道徳を語るもの**とされた。

実際の詩はこんな感じ。まずは最も有名な「**桃夭**」（国風・周南）から。

★桃の夭夭たる　灼灼たり其の華　之の子于に帰ぐ　其の室家に宜しからん
（桃の木は若々しく、花びらは赤々と輝く。この子がこうして嫁いでゆけば、家庭はきっとうまくゆく）
★桃の夭夭たる　蕡たり其の実　之の子于に帰ぐ　其の家室に宜しからん
（桃の木は若々しく、実は大きくふくらむ。この子がこうして嫁いでゆけば、家庭はきっとうまくゆく）
★桃の夭夭たる　其の葉蓁蓁たり　之の子于に帰ぐ　其の家人に宜しからん
（桃の木は若々しく、青々と葉が茂る。この子がこうして嫁いでゆけば、家庭はきっとうまくゆく）

この詩を、漢代では「桃夭は后妃がもたらしたもの。彼女が嫉妬の心を持たなかったので、男女は正しく、婚姻は適時に行われて、国に妻のいない男はいなくなった」（毛詩序）と解釈し、**嫉妬の心を持たない**という**后妃の徳**を歌ったものとする。率直にひどい曲解だ。

今は倫理道徳に結びつける儒家的解釈をしりぞけ、詩のもともとの意味を探るのが主流だ。桃夭の場合、「桃」は結婚の季節の春に咲く花で、邪気払いにも使われる神木。ここでは嫁入りする若い女性のこと。真っ赤な「華」は彼女の美しさを、大きな「実」は彼女の妊娠を、繁茂する「葉」は子孫繁栄を意味し、結婚を祝う歌だと解釈する。

次は「**鶏鳴**」（国風・斉風）。

★鶏既に鳴けり　朝既に盈てり　鶏の則ち鳴くに匪ず　蒼蠅の声なり
★（ニワトリが鳴いているわ。朝がきたみたい。ニワトリじゃないよ。ハエの羽音だよ）
★東方明けり　朝既に昌なり　東方の則ち明くるに匪ず　月出ずるの光なり
★（東の空が明るいわ。もうすっかり朝だわよ。東の空が明るいもんか。月の光だよ）
★蟲飛びて薨薨たり　子と夢を同じくするを甘しむ
会いて且に帰がん　予の子を憎むを庶ること無かれ
★（虫がブンブン飛びだしたわ。あなたと同寝は楽しいわ。あなたにお嫁にゆきましょう。あなたを嫌いになんかならないわ）

「鶏鳴」は夜明けを告げる鶏の鳴き声。ここでは、男女の情事の終わりを告げる合図。

古代歌謡の双璧

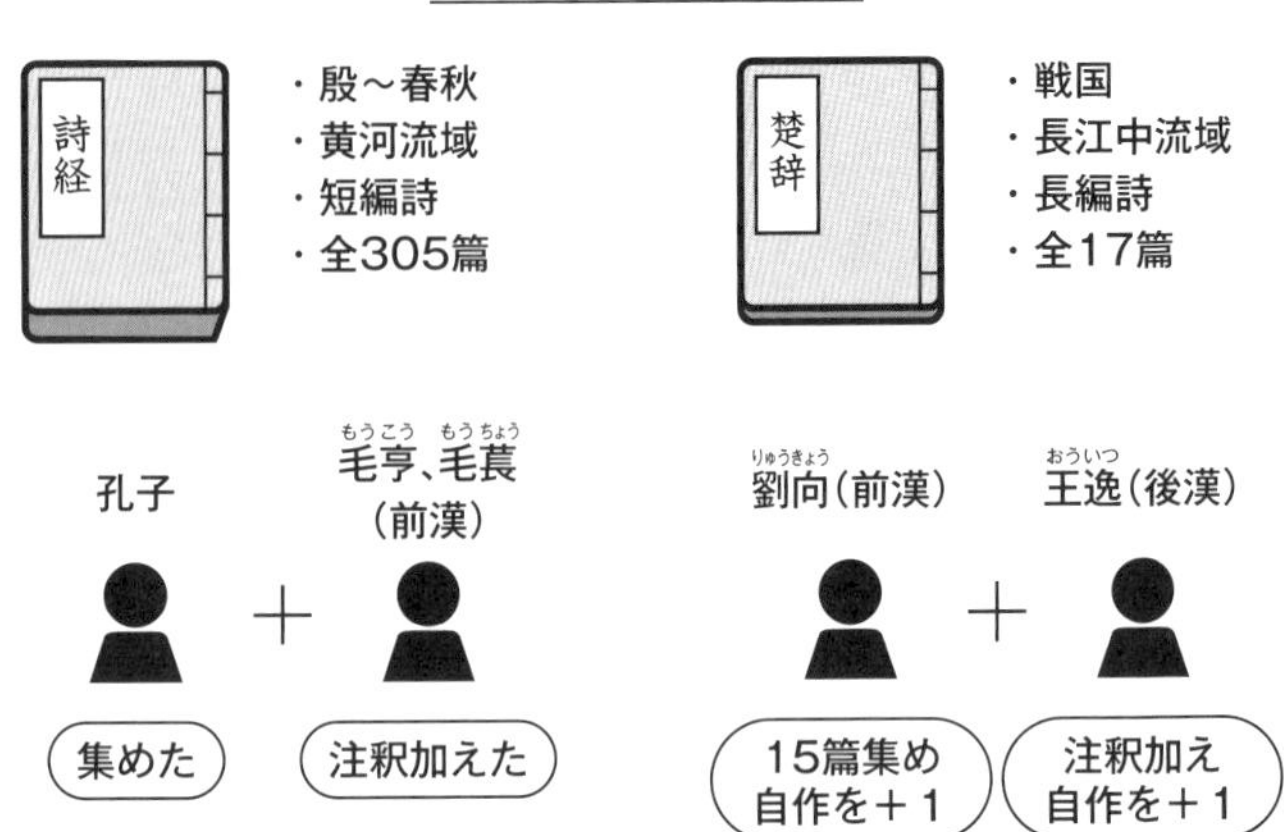

まるでデュエット曲のようで面白い。婚前に男が夜這いに来る。これは求婚の儀式でもある。「朝が来た、帰らなきゃね」と促す女性に「いや、まだ朝じゃない」と抗う男性。最後は「求婚に応じるわ」という言葉で結ぶ。牧角悦子先生の訳（角川ソフィア文庫）は生き生きとしていて、『詩経』の魅力を味わうのにオススメだ。

ほかにも「氓」（衛風）は、「★**士の耽るや猶お説くべきも、女の耽るや説くべからざるなり**（男は恋に溺れても、正気に戻ることができるけれど、女は情に溺れたら、目を覚ますすべがないものだ）」といい、流れ者の男に騙され、駆け落ち同然についていって結婚したものの、たった三年で裏切られ、「★亦た已んぬるかな（ああ、もうどうしようもないわ）」と嘆く女性の歌だ。

二千年以上前の歌と思えない。

神話の世界を楽しむなら『楚辞』

『詩経』と並び称されるのが『**楚辞**』だ。「楚」は長江中流域。『楚辞』とは、この**楚地方で戦国時代に歌われた歌謡を集めたもの**。全十七篇。このうち「**離騒**」「**九歌**」「**天問**」「**漁父**」など七篇が主な作品で、作者は**屈原**だとされる。『詩経』と比べて神秘的で難解なのが特徴。

屈原は、戦国時代の楚の王族。懐王に仕えたが、暗愚な王が讒言(ざんげん)を信じて忠臣の彼を追放。屈原は国を憂え、汨羅江(べきら)に身を投げた。彼が忠君愛国の思いを歌ったのが『楚辞』だという。「離騒」は、高貴な血筋と高潔な魂を持つ主人公が、暗君に冷遇され、この世に絶望して天界に旅する長編詩。たしかに主人公は屈原を思わせる。「九歌」は、太一や雲中君、河伯など、九神を祭る歌。難解。「天問」は天地宇宙のありさまを問答の形で歌い、「漁父」は「世を挙げて皆濁(にご)りて、我独(ひと)り清(す)めり（世はクズばかり、自分だけが清廉）」と嘆く屈原と隠者の対話を歌う。

この本のポイント

❶ 『詩経』は儒家の経典とは思えぬ赤裸々な内容。恋愛詩から入るのがオススメ。
❷ 『楚辞』は神話世界をねっとり豊かに歌う。屈原の高潔さに感動するのもよき。
❸ さわりを楽しむなら角川ソフィア文庫を。全訳を見るなら明治書院版を。

13 『礼記』

劉向・戴徳・戴聖（編）

『礼記』とは、「礼経」（「儀礼」）の「記（解説・解釈）」という意味。そこに『曽子』や『子思子』の一部といった多様な儒家文献が付加されて成立した。内容は、政治哲学、倫理、制度、音楽理論など、多岐にわたる。

『礼記』下見隆雄／中国古典新書

文字量

難易度   

戴聖（生没年不詳）：前漢（前202～後8）の人。現行本の編者。叔父の戴徳と区別するために、戴徳を「大戴」、戴聖を「小戴」と呼ぶ。宣帝（前74～前49在位）の命を受け、五経の異同を議論する石渠閣会議に礼家として参加。

五経の礼は三つある

礼は、易・書・詩・春秋とともに、**五経**の一角を占める。『論語』は「礼」を重視し、頻繁にこの語を見るけれど、このときはまだ書物になっていなかったらしい。戦国時代に後学の手で書物にまとめられたが、始皇帝による**焚書坑儒**（思想統制。実用書以外は焼却）の対象となり、その書物（原『礼記』）は焼かれてしまった。その後、礼は口伝で受け継がれたり、孔子の家の壁に隠されたりして、後世に伝わった。

問題は、その礼が三つあることだ。

一つは『**儀礼**』。もとは『礼経』『士礼』という。口伝で受け継がれた「士の礼」をまとめたものだ。**士**とは、**卿・大夫・士**と呼ばれる身分階級の一つ。卿・大夫が宰相・大臣・将軍クラスの上級貴族で、士は一般官僚・兵士クラスの下級貴族に当たる。貴族だから、庶民と違って礼儀作法を叩き込まれる。その礼を記したものが『儀礼』だ。内容は、成人の儀式や結婚の手順、飲酒の作法、騎射の会の作法、喪の規定、祖先祭祀の礼式など。

一つは『**周礼**』。もとは『周官』という。その名の通り、周王朝の官制をまとめたもので、いろいろな官職とその役割、人員などが記されている。**周は儒家が理想とする王朝**だ。その官制ということで、官僚（儒学の素養が求められた）はこれを金科玉条とし、ことあるごとに引用した。前漢初めに孔子の旧宅で見つかったとも言われるが、真相ははっきりしない。前漢末期に**劉歆**（『楚辞』の編者劉向の子）が宮廷図書を整理中に発見し、時の権力者**王莽**（儒家が理想とする周代の再現を名目に前漢を滅ぼし新王朝を開いた）に献上したという。

最後が『**礼記**』。『儀礼』『周礼』が儀礼・作法・規定・制度などを記した無味乾燥な書物なのに対し、『礼記』は読み物的だ。『儀礼』は、婚姻の礼ではまず媒氏を通じて女性の家に結婚の意志を伝え、相手が応じたら、次に結納の儀で鴈を捧げ、女性の父は宗廟（祖先を祀る廟）の西に座り……と淡々と述べる（『儀礼』士昏礼）。一方、『礼記』は**婚姻の礼の意義とは何か**を説く。両家の好みを通じ、**血統を絶やさぬためにする**のだと（昏義）。**男女の愛など関係ない**。

『礼記』の来歴は複雑だ。前漢初めに河間献王が礼の記録百三十一篇を入手して皇帝に献上し、前漢末期にそれを劉向（劉歆の父）が発見。その後、**戴徳**が煩雑で重複している部分を除いて八十五篇に編集し、**戴聖**がさらに整理して四十九篇にした（諸説あり）。前者を「**大戴礼記**」、後者を「**小戴礼記**」といい、**この最も簡便な「小戴礼記」が『礼記』四十九篇になった。**

それでは、実際に『礼記』をほんの一部見てみよう。

★人生まれて十年を幼と曰ふ。学ぶ。二十を弱と曰ふ。冠す。三十を壮と曰ふ。室あり。四十を強と曰ふ。すなはち仕ふ。（曲礼）

★（人が生まれて十年を幼といい、学ぶことを始める。二十を弱といい、冠をつける儀式があり成人になる。三十を壮といい、妻をむかえる。四十を強といい、仕えて士となる）

最初の十年は「**幼年**」。学ぶ時期。孔子は「十有五にして学に志す」（『論語』学而）と言うが、学問に取り組むのが遅い。次の十年は「**弱年**」。まだ弱い。数え二十歳で成人となる。このとき、男子は成人の証に冠をかぶるから、「弱冠二十歳」という。「冠婚葬祭」の「冠」がこれ。成人式（冠礼）だ。次の十年が「**壮年**」。元気。この間（二十代）に妻を迎える。女性は十五歳で成人式（笄礼）を迎えて嫁入りするから、**夫婦の歳の差は五歳以上が普通**だった。

檀弓篇は「**孔子少くして孤、その墓を知らず**（孔子は年少で父を失なったので、父の墓がどこにあるかも知らなかった）」と、孔子の母顔徴在が孔子の父叔梁紇の墓の位置を教えなかったので、母の死後、孔子は母の遺骸をどこに葬ればよいかわからず、苦労した話を伝える。**なんと孔子は父の墓参りを経験しなかったらしい**。孔子は父母が「野合」して生まれた子なので、母がそれを恥じて孔子に教えなかったという（後漢の学者鄭玄の注）。衝撃の孔子オリジン譚だ。

同じ檀弓篇。孔子一行が泰山の麓に通りかかると、女性の慟哭が聞こえてきた。聞けば、彼女の舅も夫も虎に殺されたうえ、今また息子も犠牲になったという。そんな危険な場所になぜ暮らし続けるのか。孔子がたずねると、彼女は「ここには（虎はいても）**苛政**はありませんから」と。孔子は弟子たちに言う、「**小子、之を識せ。苛政は虎よりも猛し**（みんな覚えておけ。苛酷な政治は虎よりも獰猛ってことだ）」と（教科書にも載る有名な故事）。

『礼記』の内容はこのように雑多。好きな篇をつまんで読むのがオススメだ。

この本のポイント

❶『礼記』は礼に関する雑多な記録を集めたもの。内容は多岐にわたる。
❷時令思想をまとめた月令篇や老荘思想を思わせる孔子間居篇なども。
❸明徳出版社版は抄訳。全訳なら明治書院版を。解説はどちらも充実。

14『春秋繁露（はんろ）』

董仲舒（とうちゅうじょ）

『春秋繁露』日原利国／中国古典新書

悪政に対して天は災害を起こして警告する——そんな天人相関説（てんじんそうかんせつ）（災異思想）」を説いたのが前漢の董仲舒。三年、庭にも出ず学問に打ち込んだ彼は武帝（ぶてい）の心をつかみ、東アジアの文化を大きく変えていく。

董仲舒（前176?～前104?）：前漢（前202～後8）の人。「春秋公羊学」を学ぶ。武帝の諮問に三度答えて信任を獲得。結果、「五経博士」が設置されるなど、儒学尊重の政策が実施された。これを「儒教の国教化」という（異説多）。

文字量 

難易度 

東アジアを儒教文化圏にした立役者

ローマ帝国がキリスト教を国教化してヨーロッパ世界がキリスト教文化圏になったように、**漢帝国が儒教を国教化して中華世界は儒教文化圏になった。**

中国、韓国、日本、ベトナム……と儒教文化圏は広がり、韓国・台湾・香港・シンガポールが、戦後、目覚ましい経済発展を遂げ、「アジアＮＩＥＳ（新興工業地域）」となり、「アジア四小龍」と称されたのは、「儒教文化」が背景にあったからだという。

その「儒教の国教化」の立役者として名高いのが**董仲舒**である。

異論も多く、いまはこんな単純な理解はしないけれど、**儒学が中国文化の中核になった要因の一つが董仲舒なのは間違いない**。

戦国時代には秦が**法家思想**を採用して政治的・軍事的に成功を収める一方、儒学は「迂遠にして事情に闊し」（史記）として遠ざけられていた。これは、董仲舒の弟子でもあった歴史家司馬遷の言葉である。また前漢初期は**黄老思想**（伝説の帝王黄帝と道家の祖老子の名を冠した政治思想で、道家と法家をミックスしたような内容）が流行し、宰相の曹参は黄老思想にもとづく「無為清静（上が何もせず静観につとめれば、民は自ら安定し治まる）」の政治を実践した。

要するに、**戦国時代末期から漢初にかけては法家や道家が支配的な思想**だった。儒家は生まれてからずっとすごかったわけではない。前漢の武帝（在位前一四一～前八七）の前に董仲舒が現れて儒家を国家的な思想の地位にまで押し上げたのだ。

董仲舒は『**春秋公羊伝**』を学んだ。『春秋』は五経の一つで、孔子の生国魯の歴史書。「公羊伝」は『春秋』につけられた三つの注釈書（左氏伝・公羊伝・穀梁伝）の一つだ。公羊伝に「**春秋の義を制して、以て後聖を俟つ**」とあり、公羊学では、孔子が後聖（周を継ぐ漢王朝）のために『春秋』をつくったとする。これを「漢代予定説」という。漢王朝にとって都合のよい学説だ。また、董仲舒は公羊伝の「**大一統**（一統を大ぶ）」という言葉を、**皇帝による国家統一**と解釈し、学説的に皇帝権力に根拠を与えた。武帝が儒学を官学化したのもよくわかる。

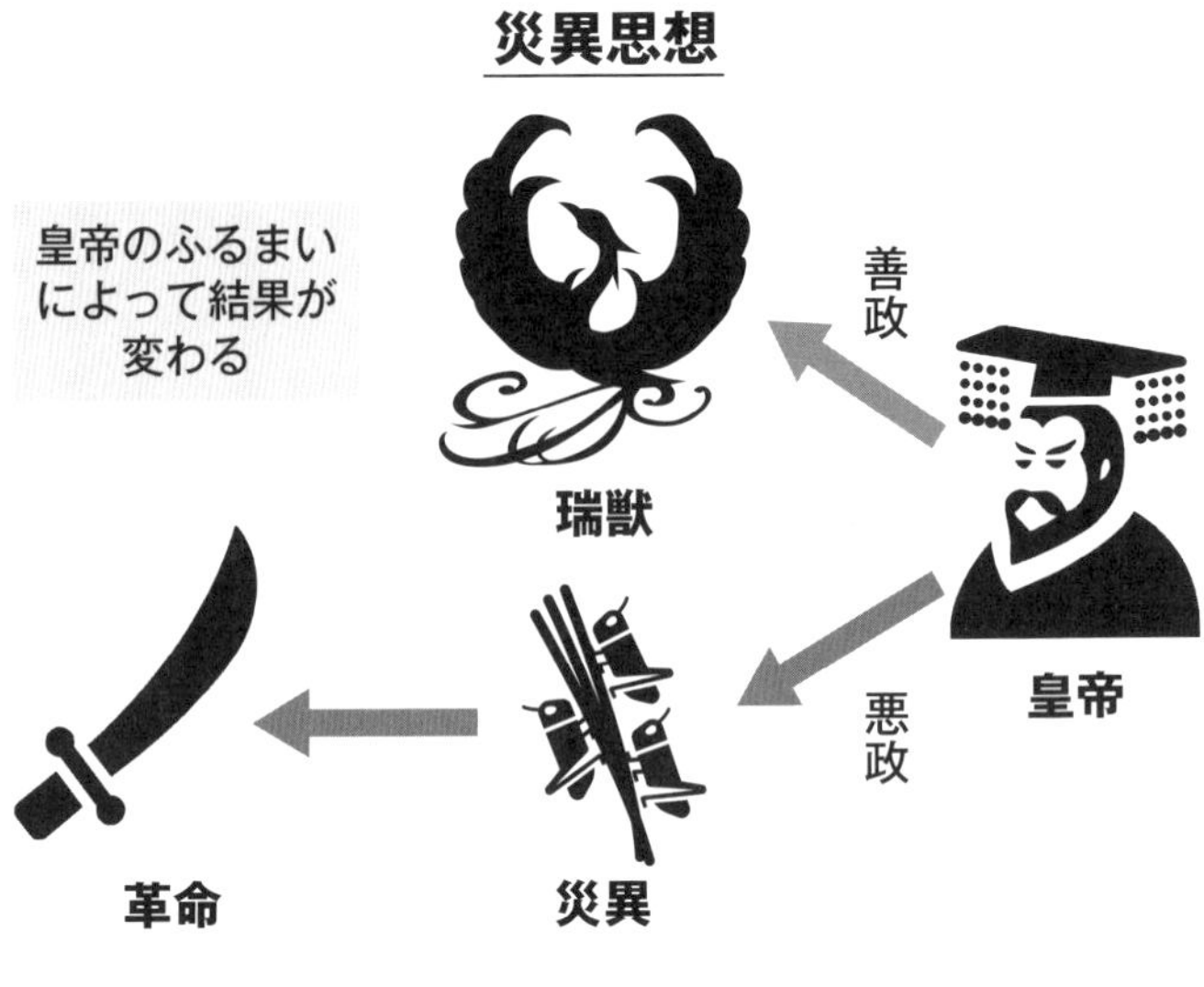

災害の原因は皇帝

董仲舒の思想の根幹は**天人相関説**（てんじんそうかんせつ）＝**災異思想**である。皇帝の道徳的・政治的なふるまいに万物の主宰者たる**天**が感応し、災異や瑞祥を下すという説である。

要するに「天罰」で、皇帝が残念な政治をしていると、天はイナゴの大群やら地震やら洪水やらの「**災異**」を下して警告する。逆に、善政をしていると、麒麟（きりん）や鳳凰（ほうおう）などの瑞獣が現れる。

天人相関の「人（じん）」とは**皇帝**だ。天が皇帝に天命を下して天下を統治させる。天子が天の指示に背けば、天は災異を下して警告する。それでも改めなければ、天命を革（あらた）めて別の人に下す。これが革命である。

董仲舒の思想を知るには、『**漢書**』**董仲舒伝**（武帝に提出した論文、いわゆる「天人三策」を収録）、『**漢書**』**五行志**（董仲舒による災異の解釈を収録）、彼の著作とされる『**春秋繁露**』が基本文献だ。

ただ『春秋繁露』には偽作説があり、唯一の和訳本も冒頭五章しか訳出されていない。

内容は、**「春秋の筆法」を取り上げ、公羊学の立場から解説し、そこから政治・軍事・礼制などを論ずるもの**。たとえば、『春秋』は侵略者を下に置いて書く。「晋人、秦人、河曲に戦ふ」（文公十二年）なら、侵略者は秦人だ。この筆法（書き方の法則）を取り上げ、侵略を悪むからだと説明し、そこから戦争論を展開する。春秋の法では、凶作の年に修築はしない。民を苦しめるからだ。まして民を害するならなおさらだし、民を殺すならもっとダメだ。★「**これ民を害ふの小なるものは悪の小なり。民を害ふの大なるものは悪の大なり。今、戦伐の民におけるや、その害たる幾何ぞ**」（竹林）と、悪の大小は民に与える害の大小に比例する、侵略の害は計り知れない、と述べて侵略戦争を全否定する。こんな感じだ。

この本のポイント

❶ 思想史的に董仲舒は外せない。『春秋繁露』はもっと注目されるべき古典。
❷ ただ偽作説もあるうえ、「春秋学」の素養がないと読み通せないのが難点。
❸ 董仲舒について語るときは、天人相関説を取り上げるといいぞ。

15『論衡』

王充

『論衡』とは「言葉の軽重を計り、真偽の平を立てることだ」と王充は言う。百科事典的にあらゆる事象・俗説・記事を取り上げ、批判精神を向けて、いちいちつっこむ。古代の「論破王」王充の斜め上からの批判を楽しめ！

『論衡 新釈漢文大系』山田勝美／明治書院

文字量

難易度

王充(27〜100?)：後漢(25〜220)の人。首都洛陽に遊学して班彪(『漢書』の編者班固の父)に師事した。家が貧しくて本を買えず、本屋で立ち読みして一心に黙誦し、諸学に通じた故事も有名。当時流行した災異思想を批判した。

「後漢合理思想」の英雄

前漢の董仲舒の次は、後漢の王充の出番だ。

董仲舒がトンデモ学説を唱えたのに対して、そんなことあるかい、とつっこんだのが王充だ。

三秒考えれば、政治と災害の間に関係がないことはわかる。政治が悪かろうが、善かろうが、災害が起きるときは起きる。ただ、災害を、皇帝に猛省を促す材料に使えるという点で董仲舒の天人相関説は有益だった。でも、それだけだ。科学的にはありえない話だ。

王充の思想は、桓譚・応劭・王符らとともに**後漢合理思想**と総称される。

王充の『論衡』は、「虚妄を疾む」という態度を軸に、**一切の虚説・妄説を批判的に検討して、公正な真理を明らかにしようとした書**だ。

彼がこの著書で標的にしたのが、**災異説**であり、**讖緯説**である。

災異説は、董仲舒が生んだもので、「**災異**（災害・異変）」を天の警告と解釈する説。そこから発展して、災異を五行思想（さまざまな事象を木・火・土・金・水で説明する）で解釈し、未来を予言する讖緯説が生まれた。未来を予言する自然現象（あるいは、自然に発生した文字）を「**讖**（図讖・符命）」と呼び、それらの予言について解説する書を「**緯書**」と呼ぶ。

これで儒学が一気に神秘思想化してしまった。王莽が帝位を簒奪するときには、赤い字で「安漢公莽に告ぐ、皇帝たれ」と書かれた白い石が井戸で見つかり、彼に天命が下ったと告げる符命だとされた。どう考えても仕込みなのに。

『論衡』の話題は多岐にわたる。知の百科事典だ。災異説については、譴告篇で★「**災異を論ずる〈者〉謂ふ、古の人君、政を為し道を失すれば、天は災異を用て之を譴告す**★（災異家の説によると、昔の君主が政道に失敗すると、天は災異を下してとがめ戒めた）」、たとえば、時期外れの刑には寒気、時節に反する恩賞には暖気をもたらして天は君主を譴責すると災異説を紹介したうえで、王充は★「**此れ疑はしきなり**」（同）と疑念を呈す。

王充の批判の論理はこんな感じだ。

国に災異が起こるのは、たとえば、家に変異が起こるのと同じだ。①家族が病気になっても天に咎められたとは考えないだろ？　単に血脈が不調だから病気になっただけ。災異も同じさ。気候が不順というだけ。②君主が政治に失敗するのは、家で言えば、美味しい料理をつくろうとして塩辛すぎたり薄味すぎたりするようなものだ。料理に失敗したからといって、天は家族を病気にするだろうか。するわけないだろ？　だから災異説は疑わしいんだ。

王充は身近な「家族の病気」を比喩として持ち出し、家族の病気が天罰のわけがない、料理に失敗したからといって天罰を食らうわけがないと確認し、じゃあ、天が国に災異を下して罰するなんて話も嘘だ、と結論する。こうした「**フツーに考えて、そんなこと、ありえなくね？**」というのが王充の論法だ。彼はこの**合理的判断を武器に虚説・妄説**を批判する。

ほかにも、★「**善を行ふ者には福至り、悪を為す者には禍来る**」（福虚篇）という、よくある迷信に対する批判はこんな感じだ。

楚の恵王は、食事中、酢の物にヒルを見つけた。これを咎めれば、法律上、料理人は処刑だ。でも、こんなことで処刑される料理人がかわいそう。かといって安易に赦せば、国民に示しがつかない。さあ、**どうする恵王**？　そこで彼はこっそりヒルを飲み込んで事件を隠蔽した。いい奴だ！　でも、彼は激しい腹痛に襲われた。

令尹(れいいん)（楚の宰相）が事情をたずねると、恵王はあっさり白状。令尹は深々と頭を下げ、「**臣聞く、天道は親(しん)無く、唯(た)だ徳を是(こ)れ輔(たす)くと**（私が聞くところによると、天道はえこひいきすることなく、有徳者を助けるとか）」（同）、ご安心を、仁徳ある陛下を天が病気にするわけがありません、と祝った。実際、夕方には尻からヒルが出て病気も全治。**徳ってマジ報われるよね**！

この美談に王充は、①王なんだからちゃんとしろ、②ヒルにさえ気づけないクソ料理人はさすがに咎めろ、③飲み込まずに隠せばよかったじゃないかと指摘し、**天ってバカに報いるの**？とつっこむ。「もし天が有徳者の病気を治すなら、聖人は病気にならないはずでしょ、けど聖人の孔子も病気になったじゃーん」とトドメ。彼の切れ味はこんな感じ。ツッコミ力がすごい。

『論衡』の訳本は三種。①明徳出版社：八十五篇中冒頭中心に八篇の抄訳。原文・書き下し文つき。②東洋文庫：十四篇の抄訳。『論衡』の「らしさ」を楽しめる異虚・問孔・自然篇なども採録。ただし現代語訳のみ。③明治書院：全訳。原文・書き下し文つき。解説も充実。よき。

この本のポイント

❶『論衡』は、前漢以降、災異説のような虚説・妄説が流行する中で生まれた書。
❷王充のひねくれたツッコミが魅力。こちらが言いづらいことを言ってくれる。
❸遇不遇について語る逢遇篇や、儒者に切り込む問孔篇・刺孟篇もオススメだ。

16『列女伝』

劉向（りゅうきょう）

男尊女卑の根強い中国社会で、異彩を放った女性たちの列伝。「孟母三遷」「孟母断機」のほか、世俗にとらわれる夫を諭す賢妻、弁舌ひとつで苦境を切り抜ける才女、君を惑わし国を傾ける悪女など、多彩な女性の逸話を収録。

『列女伝』中島みどり 訳注／東洋文庫

文字量 ■■■

難易度 ？

劉向（前77〜前6）：前漢（前202〜後8）の人。「春秋穀梁学」を学ぶ。宮中図書の分類目録『別録』をつくり、息子の劉歆（りゅうきん）（前53〜後23）が引き継いで『七略』を成し、これが漢書芸文志のもととなった。中国目録学の始祖とされる。

中国最古の女性列伝

儒学は**男尊女卑**の思想だ。その儒学が知的エリート階級の抗えない道徳規範となったことで、**かつての中国文化＝男尊女卑の文化**といっても過言ではない。

儒学が女性に求めるのは「**三従四徳**」である。**三従**とは、**幼いころは父に従い**、**妻となれば夫に従い**、**年老いれば子に従う**こと。いついかなるときも男に従え、という教えだ。**四徳**とは、**貞従・言行・婉娩（えんべん）・婦功**の四つ。貞従は貞淑かつ従順、言行は女性らしい言葉づかい、婉娩は穏やかで素直な態度、婦功は妻としての務めを果たすこと。開いた口が塞がらない。

『列女伝』は、そんな中国で、今から二千年以上前に編纂された女性たちの説話集だ。

上古から前漢に至る百人余りの女性たちの伝記を、母儀・賢明・仁智・貞順・節義・弁通・孼嬖の七つに分類して収録している。編者は、中国目録学の始祖で、『戦国策』『新序』『説苑』の編纂でも知られる**劉向**。説話集編纂の達人だ。『新序』『説苑』が皇帝の教科書としてつくられたのと同じように、**『列女伝』も女性の教科書としてつくられた**。

篇名の貞順や弁通に四徳の貞従や言行を感じ、儒学的女性像をひたすら描くかと思うけれど、そうでもない。弱い夫を諭す男よりも賢明で立派な女性や、弁舌でピンチを切り抜ける頭の回転の速い女性も登場するし、**孼嬖伝**に至っては**悪女の列伝**だ。夏・殷・周を滅ぼした「**傾国の美女**」たち――末喜・妲己・褒姒や夏姫（第四章「左伝」）も登場する。

それでは、二つだけ話を紹介しよう。まず「母親の模範」を集めた母儀伝から。

孟母（孟子の母）の話。その家は墓の近くにあった。幼い孟子が葬式のまねごとをして遊ぶのを見て、「ここは我が子のいるべきところではない」と言って市場の近くに引っ越した。幼い孟子が今度は商売のまねごとをはじめたので、「ここは我が子のいるべきところではない」と言って学校の近くに引っ越した。幼い孟子は、今度は礼のまねごとを始めた。こうして教育熱心な母の感化を受けた孟子は、六芸を学んで偉大な儒者となった。

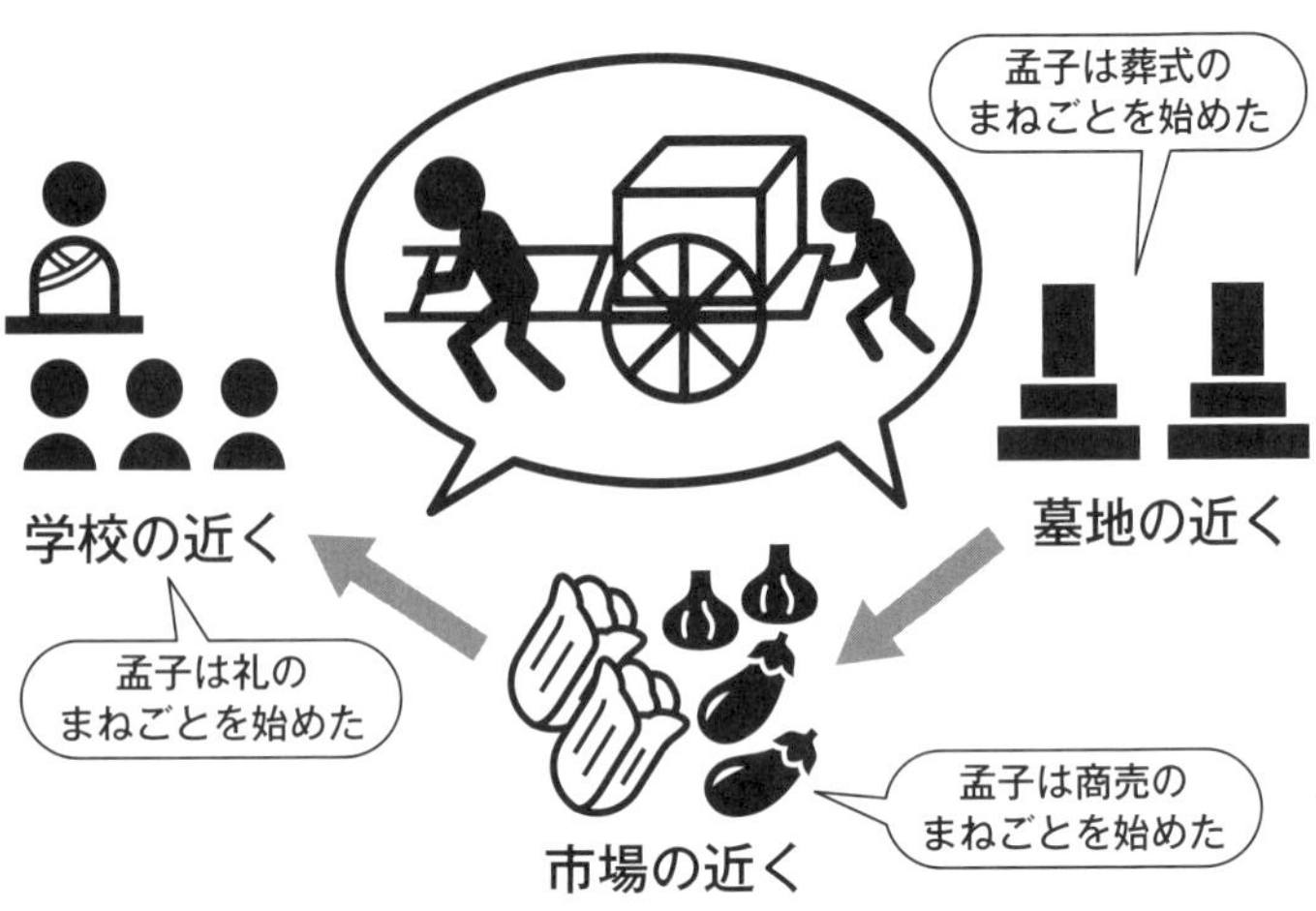

これが「**孟母三遷**」の教えだ。孟母が最初の失敗に学んでいれば、一回で学校近くに引っ越せたのに、というツッコミは不要だ。

孟母の逸話はこれで終わらない。孟子少年が学問に行き詰まると、途中まで織り上げていた布を刀で断ち切り、「学問を中断するのは、これと同じことです。女が布を織り上げなければ生活できないのと同じように、**男が学問を中断したら、あとは盗人か奴僕になるしかないのですよ**」と諭した。孟子は朝夕(あさゆう)学問に励み、天下の偉大な儒者となった。これが「**孟母断機**」の教えだ。ほかにも逸話は続き、**孟母は操行・頭脳の面で孟子を凌駕する**。子に従順なだけの母の姿はここにはない。

次は「弁舌に長けた女性」の弁通伝から。

孤逐女の話。彼女は孤児でブサイク。村から計八回逐われた。年頃を過ぎても結婚相手が見つからない。そこで彼女は斉の襄王にお会いした。一日目、宰相が国家安泰の鍵だと説いた。二日目、我が国の宰相をどう思うかと問われ、「彼はピンでは力を発揮できません。相方が必要です。優秀な側近と賢明な妻をお与えなさい」と答えた。三日目、宰相を代えるべきかと問われ、「国内に彼以上の人材はいません。燕が郭隗を厚遇して楽毅を得たようにまず彼を厚遇しましょう」と「隗より始めよ」の故事を挙げて提案。王は宰相を厚遇し、かつ賢明な逐女と結婚させた。結果、斉には天下から人材が集まり、よく治まったという。

弁舌だけで逆境をくつがえし、宰相と結婚してみせた女性の話だ。『列女伝』には、こうした痛快な話も多く、良妻賢母を賛美する話に終始しているわけではない。古代中国の女性たちの活躍を楽しみたいなら、一読の価値がある。たくさんのステキな女性と出会えるはずだ。

この本のポイント

❶ 女性は従順で控えめであるべきだとされる時代に活躍した女性の姿を楽しめる。
❷ 絶世の美女ばかりで文字通りの傾国・傾城が居並ぶ悪女列伝が意外に魅力的だ。
❸ 訳だけでよければ東洋文庫版を。原文・書き下し文も見たいなら明治書院版を。

17『山海経』

禹？

『山海経』高馬三良 訳／平凡社ライブラリー

『画図百鬼夜行』の鳥山石燕も夢中になった『山海経』。縦横に走る山脈、中国世界の外側に広がる異境を舞台に、妖怪・悪鬼・神獣・鬼神・怪神が紹介されていく。炎帝・顓頊・蚩尤・西王母など、魅力的な中国神話も登場。

文字量

難易度

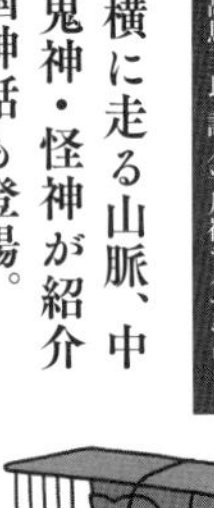

禹（生没年不詳）：実在すら疑われている。もちろん『山海経』の著者だと信じている者もいない。伝説の黄帝の玄孫。人面魚身の神。舜から治水を任され、寸暇を惜しんで働き、帝位を譲り受けた。息子が世襲して夏王朝を開く。

中国版「百鬼夜行」

中国古典はおカタイものばかりじゃない。

『山海経』が描く世界は、まさに奇想天外。珍獣・奇獣が次々と出てくる。ここで取り上げた平凡社版には図版もついているので、その絵を眺めているだけでも楽しい。頭が九つ、顔が三つ、体が三つ、尻が二つ、翼が四つ、角が四本、足が六本、耳が四つ、尾が九本……といった異常な数の部位をともなう獣、鳥、魚、人、そして神がこれでもかと出てくる。そうかと思えば、頭がないとか、腕や足や目が一つとか、もある。

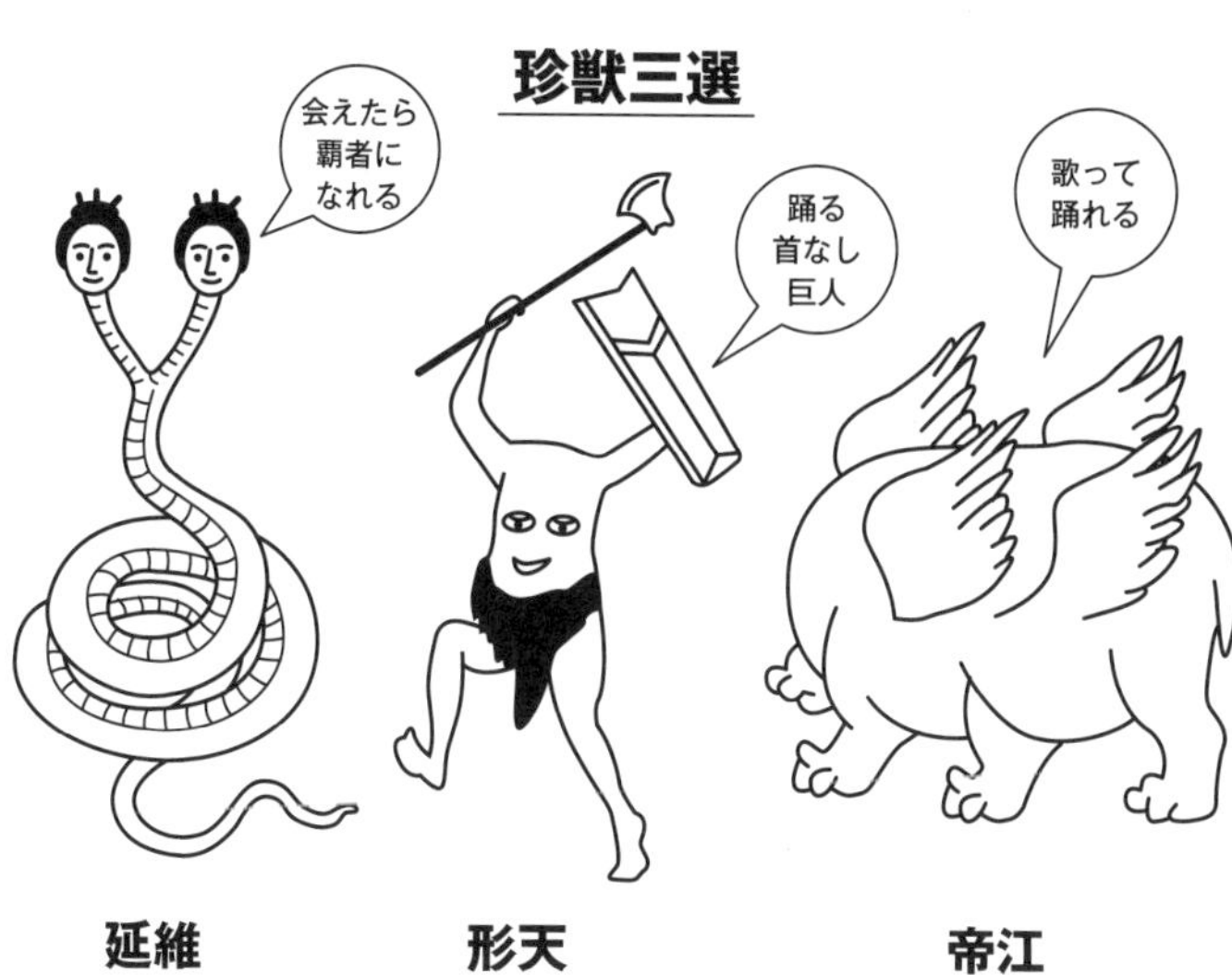

オススメはマーベル映画にも登場した帝江。**「神有り、共の状黄の嚢のごとく、赤きこと丹き火のごとく、六足、四翼、渾敦として面目なし。是れ歌舞を識る。」**とある。カワイイおしりも二つだ。

一見して忘れられないのは形天。**「形天は帝と此に至りて争う。神帝其の首を断ち、之を常羊の山に葬る。乃ち（形天は）乳を以て目と為し、臍を以て口と為し、干戚を操りて以て舞う。」**とある。首がないのに、コミカルだ。

延維は、別名委蛇。**「神有り、人首蛇身、長きこと（車の）轅のごとく、左右に首あり、紫衣を衣て施冠を冠る。……人主得て之を饗食すれば、天下に伯（＝覇）たらん。」**とある。斉の桓公がこの神に遭遇し、実際に覇者となった、と『荘子』にもある。

『山海経』は実は地理書

『山海経』の作者はわかっていないし、成立時期も不明だ。古く中国では、伝説の帝王**禹**（う）がつくったものと信じられていた。禹が①中国全土をめぐって治水をし、道路網を築き、すべての山川に名前をつけた、②遠国から魑魅魍魎（ちみもうりょう）を献上させて、その図像を銅製の鼎（かなえ）（**九鼎**）に鋳込み、人々に各地の恐ろしい物怪の姿を事前に知らせた、という二つの伝承が禹著作説の根拠になっている。

『山海経』は全十八篇。前半は「山経」で、南山経・西山経・北山経・東山経・中山経の計五篇。四五〇弱の山を紹介する。後半は「海経」で、海外・海内・大荒の各東西南北の四経（3×4）に海内経一篇の計十三編。**中国世界の外側に広がる異世界**（というか神話世界）**を紹介する**ものである。たとえば、「山経」の記述は、こんな感じ。

（基山から）**東に三百里、青丘の山という。その陽（みなみ）には玉（ぎょく）多く、その陰（きた）には青臒（あおつち）多し。獣（けもの）あり、その状（かたち）は狐のごとくにして九尾、その音（こえ）は嬰児のごとし。よく人を食らう。**（その肉を）**食らう者は邪気にあわず。**……（南山経）

山の名前、採取できる鉱物、生息する獣……。割愛したけれど、鳥（名は灌灌。鳩に似た鳥で、身につけると惑わない）、流れ出る川、魚（名は赤鱬。人面魚で、食べると疥癬にならない）と淡々と情報が並ぶ。なお、これが「**玉藻前＝九尾の狐**」の**最古の資料**だ。で、「海経」の記述はこう。

貫匈国はその東にあり、その人となり胸に竅あり。交脛国はその東にあり、その人となり脛を交える。不死の民はその東にあり、其の人となり黒色、不老不死なり。

淡々とすごいことを書く。そして合間に、炎帝、黄帝、顓頊、羿、蚩尤、女媧、祝融、西王母、饕餮らが登場し、中国神話を存分に堪能させてくれる。

高馬三良『山海経』（平凡社）はとっても手軽。ただ、そもそも『山海経』自体が難解なので、もっと味わいたい場合は、伊藤清司『中国の神獣・悪鬼たち』（東方書店）がオススメ。

この本のポイント

❶ 四五〇弱の山を紹介する「山経」と辺境異世界を紹介する「海経」で構成。
❷ 山経で紹介される獣・鳥・魚がまさに魑魅魍魎。ファンタジーファンを虜に。
❸ 海経では、奇想天外な想像上の人々や有名な神々が続々と登場する。

18『顔氏家訓』

顔之推

『顔氏家訓』林田愼之助 訳／講談社学術文庫

孔子の高弟として名高い顔回の末裔で、名門貴族の顔之推。王朝が次々と興亡する南北朝時代、戦乱に巻き込まれ、南から北へと流浪しながらも学問に励み、梁、北斉、北周、隋と四つの王朝に仕えた。そんな苦労人の説教集。

文字量

難易度

顔之推（531〜590）：南北朝時代（439〜589）の人。梁・北斉・北周・隋に仕えた。顔氏は、学問を家業とする「書生門戸」を自任し、「周礼」と「左伝」を家学とした。時代に翻弄されながら、学問で切り抜けてみせた。

顔之推は苦難の人生を送ったエリート

インテリ親父が、聞き分けのよい子ども相手に、滔々と鼻につく説教をしているところを想像してほしい。それが『顔氏家訓』だ。「わしは乱世に生まれ、戦の中で成長した。故郷を離れ、異郷を流浪して、いろいろなことを見聞した。それだけに出会えた立派な方々には、いつも心酔し、敬仰せずにはいられなかった」とお決まりの自分語りから始まり、「（子どもというのは）平常親しくしている者から影響を受け、言葉使いや笑うしぐさまで、学ぶつもりもないのに、無意識に感化され、自然にその人に似てくるものである」と続ける。

つまりは、**友だち選びは慎重に**というだけなのだが、顔之推には教養があるので、★「善人と一緒に居るのは、香草の入れてある部屋に入るように、久しく芳香を放つようになり、悪人と一緒に居るのは、乾魚の店に入るように、いつまでも悪臭を放つようになる。墨子が、糸がいろんな色に染まることを悲しんだのは、この意味である。君子はかならず交際を慎重にせねばならぬ。孔子は『自分に及ばない者を、友とするな』（『論語』学而）と言っている」（慕賢篇）と、対句、比喩、引用、あらゆるレトリックを駆使して、これでもかと説教する。

説教の内容はきわめて真っ当だ。言葉使いは慎重に、身だしなみはしっかりと、努力せよ、勉強せよ、友人を選べ、世間の役に立て、高潔にふるまえ、でも高潔過ぎてもいけない、人に受け入れられる余地をつくれ……など。刺さる（というかボディブローのように響く）言葉ばかりで、「そうそう。そうなんだよ」とうなずいたり（↑ダメな同僚とかを思い出す）、「すみません。以後、気をつけます」と謝ったり（↑自分に思い当たる節がある）。

もちろん、いまの感覚では受け入れられないものもある。たとえば、子育て論では、体罰の重要性を説き、親子の馴れ合いを認めない。「父子の厳、以て狎るべからず」（教子篇）と、父子の関係は厳なるもの、馴れ合ってはいけないと述べ、齢四十を超えた王僧弁を鞭打った母魏夫人を激賞し、有能だが甘やかされて育った男が結婚後わがままになり、★「腸をひき出されてその血を鼓に塗られて**血祭りにされた**」という例を挙げて**甘やかしてはいけないと説く**。

また、早期教育の重要性を述べるところでは、★「王者の妃は**妊娠三ヵ月**となれば、別の宮殿に移り、目に正しくないものを見たり、耳にいいかげんなものを聞いたりしてはならない。音楽も食事もすべて礼にかなったものにかぎる（保傅篇）」という『大戴礼記』の一節を引き、さらに「子が生まれて**泣いたり笑ったりするころ**になれば、教育係の先生が孝の道、仁義・礼節の道を教え導くようにする」という『礼記』『漢書』の一節を引く。**早すぎないか？** まあ、これは理想としても、**物心がついたら躾をはじめて、五、六歳になったら、体罰を加えることを考えるべき**だ、と顔之推は真顔で主張する。

顔之推は名門出身である。孔子の高弟として名高い**顔回**を祖にもつ。同門の子貢から「回や一を聞きて以て十を知る」（公冶長）、孔子からは「賢なるかな回や」（擁也）「回や其れ人間に）庶きか」（先進）と称賛され、早逝したときには孔子が「ああ、天予を喪ぼせり。天予を喪ぼせり」と慟哭した、あの顔回だ。『周礼』『春秋左氏伝』を家学とする学者の家系で、子孫からは、『漢書』の注釈者として知られる**顔師古**、大書家の**顔真卿**も出ている。

顔之推が生きたのは、中国史上最長の乱世である南北朝時代である。顔氏は、建康（現南京）を都とする南朝の斉の貴族だったが、蕭衍（梁の武帝）が帝位を簒奪して梁王朝を開いたとき、顔之推の祖父顔見遠が自殺して抗議し、これを機に顔氏は没落してしまう。さらに顔之推が九歳のとき、父の顔協も早逝し、以降、窮乏生活を強いられた。

そうした中でも顔之推は学問に邁進し、やがてその学識文才が評判となり、文人官僚として歩みはじめた。しかし、梁をゆるがす侯景の乱が勃発。顔之推は反乱軍の捕虜となり、刑死の危機を迎える。王僧弁（四十超えて母に鞭打たれた人）と陳覇先が反乱を鎮圧し、一命をとりとめるが、今度は北朝西魏の侵攻を受けて梁が滅び去る。彼は西魏に連れ去られたのち、北斉↓北周↓隋と渡り歩きながら、その先々で博識文才を認められて何とか生き延びる。

そうした苦労のうえに書かれた『顔氏家訓』の言葉は一つひとつが重い。

★「曽子は七十歳から学問を始めて、天下に名を馳せた。荀子も五十歳になって斉に遊学して大学者となった。漢の公孫弘は四十余歳で、『春秋』を読み、そのおかげで丞相（総理大臣）にまでのぼった」（勉学篇）。顔之推は、**何歳からでもいい、あきらめずに晩学すべき**だ、と僕らを励ましてくれる。学問の大切さをこれでもかと説教してくる『顔氏家訓』は、社会人になってからも学問を志す皆さんの心に、きっとぶっ刺さること、間違いない。

この本のポイント

❶『顔氏家訓』は顔之推が子孫に残した教え。

❷内容は、子育て、家族のあり方、仕事の姿勢、養生の心得、仏教のすすめなど。

❸彼の生涯を知ってから読むと、言葉の重みが変わるぞ。

19『近思録』

朱熹・呂祖謙（編）

朱子学の入門書。北宋四先生（周敦頤・張載・程頤・程顥）の著作をいいとこどりしたダイジェスト。編纂は朱熹。文句なし。書名は『論語』の「切に問うて近く思う。仁其の中に在り」より。人生に役立つ箴言・警句の宝庫だ。

『近思録』湯浅幸孫／タチバナ教養文庫

文字量 📖📖📖

難易度 ???

朱熹（1130〜1200）とその友の呂祖謙（1137〜1181）：南宋（1127〜1279）の人。編者。朱熹は、周敦頤・張載・程頤・程顥の儒学を受け、宋学として大成した人物。「性即理」を唱え、五経の上に四書を置いた。

近世最大の思想家・朱熹

いよいよ中国哲学の巨人**朱熹**の登場である。

孔子に始まった儒学は、董仲舒を経て前漢末・新の時代には支配的な地位を得たものの、後漢に入り、訓詁学のもと**ダメになってしまった**。訓詁学とは、**字句の意味を正しくとらえ、テキストを正確に解釈しようという学問**で、悪くないはずだけれど、シンプルに**ツマラナイ**。学問としては二流だ。その後、魏晋南北朝時代に北方異民族（五胡）が中国に大量南下し、異文化もどっと流入する。そうした中、儒学が廃れて**仏教・道教や老荘思想が流行**した。

仏教・道教や老荘思想は、**思弁的・形而上学的で、宇宙万物の原理を説き、この生きづらい世の中をどう生きるべきかの知恵も教えてくれる。**「君子たるものは、ああせい、こうせい」と小うるさい道徳哲学の儒学は嫌厭（けんえん）され、このころ読まれたのは神秘的な『**易経**』ばかり。まあ、儒学を国家イデオロギーとした漢が滅び、仏教国家（前秦や梁）が次々と生まれた時代だから当然といえば当然だ。ソ連が消えて共産主義が廃れたのと同じようなもの。

朱熹が登場するのは、**南宋**の時代だ。

魏晋南北朝時代という**中国史上最長の乱世**（『顔氏家訓』の顔之推が生きた時代）に**隋**が終止符を打ち、杜甫・李白が活躍した**唐**の時代を経て、再び**五代十国時代**という短い乱世を迎えたものの、**北宋**が天下を再統一した。北宋時代には、欧陽脩（おうようしゅう）、蘇軾（そしょく）、司馬光（『資治通鑑』）ら、文人が活躍して中国文化が花盛りだったが（僕らが中国文化と聞いて思い出す文物の多くは、中華料理も含め、北宋以降に生まれたもの）、一一二六年、中国東北部のツングース系女真族の**金**が南下して北宋を滅ぼした。**南宋は皇帝の一族が杭州に拠って宋を再建した、いわば亡命政権**であり、このとき**中国の北半分は異民族の支配下に置かれていた。**しかも軍事的に優位な金に、南宋は臣従する始末。「我が中華の文明はアアア世界一イイイィィ」と信じ、異民族を見下す**中華思想**の彼らにとって屈辱に塗れた時代だった。

そんな北宋・南宋の時代に、儒学が復興を遂げた。

朱子学入門はここから

朱熹は自らの思想をまとまった著作として残していない。

これは「**述べて作らず**」（『論語』述而）という儒家の伝統に従ったもので、「四書五経」という形ですでに偉大な先王の教えはまとめられているので、自分がここに新たな書物を加えて「五書五経」だの「四書六経」にすることはない、というわけ。

その代わり先人の文献に注釈や解説をつけた。代表作が『**四書集注**（しっちゅう）』。大学・中庸・論語・孟子に朱熹が注釈をつけたもので、従来の注（**古注**）に対して「**新注**」と呼ばれる。ただ朱熹は、かなり独創的な解釈をし、注釈の形を借りて自分の思想を展開している。四書のほか、易経・詩経・書経・儀礼・楚辞・資治通鑑などにも注釈や解説をつけている。また先人の文献を整理・編集して一書にまとめた。『近思録』『程氏遺書』『小学』などがそれだ。

朱熹の古典に接するなら、『四書集注』『近思録』『朱子語類』がオススメだ。

『朱子語類』は、**朱熹とその門人の問答録**で、九十七人分の講義ノートを、「理気」「鬼神」「性理」といったテーマ別に再編成したものである。朱熹の言葉の記録なので、**口語体**だ。文語体とは異なる味わいとリアルがある。講談社学術文庫に抄訳があるので、興味があればぜひ。ここでは、整備された全訳もある『近思録』のほうを取り上げた。

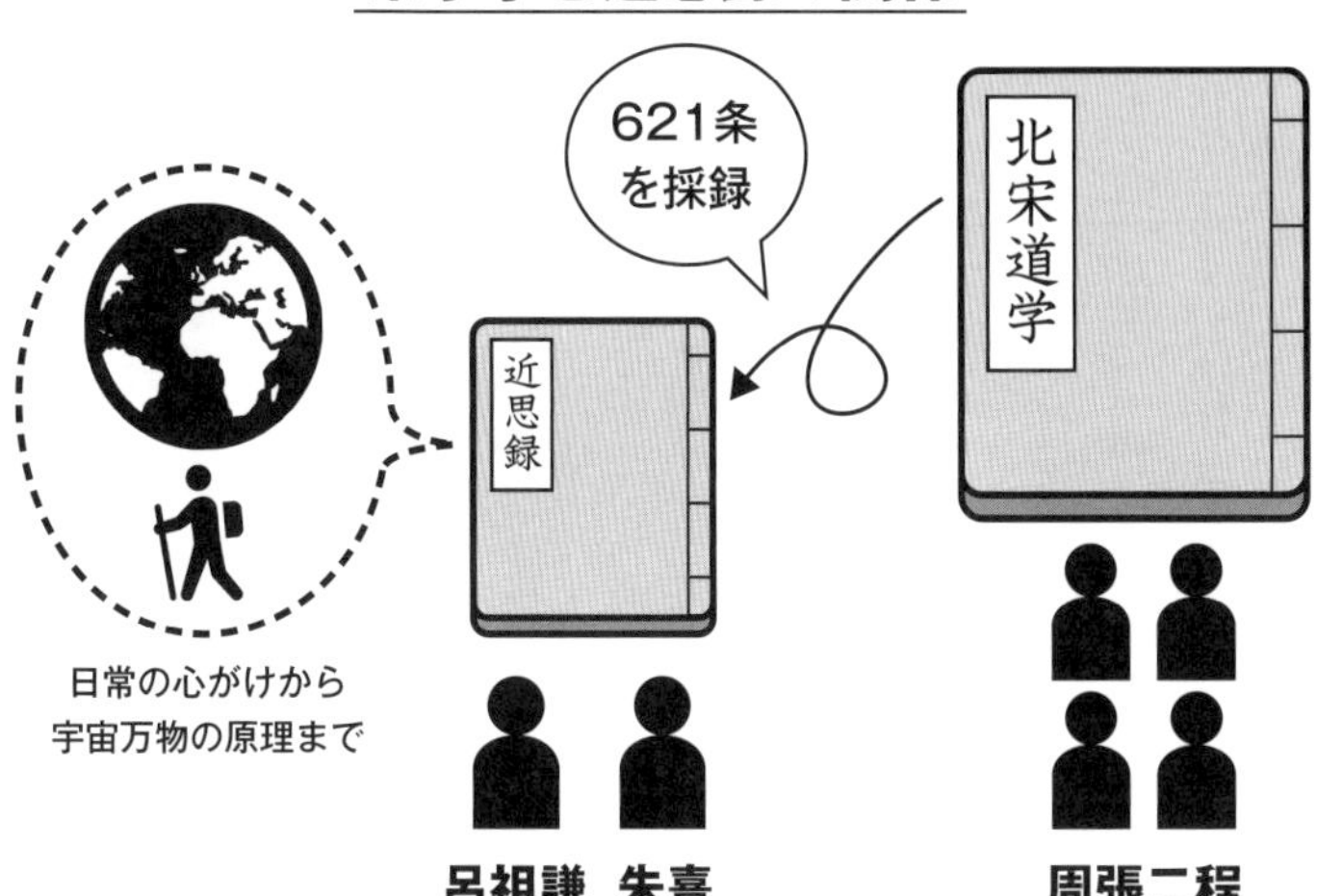

さて、朱子によれば、先王の道は孟子をもって絶えたという。

先王の道とは、**いにしえの聖人＝帝王たちの教え**で、伏犧・神農・黄帝など上古の聖人から、堯→舜→禹→殷の湯王→周の文王・武王→孔子→曽子→子思→孟子と受け継がれて、ここで断絶した。そして北宋に至って、突如それを受け継ぐものが現れた。それが**周敦頤・張載・程頤・程顥**（周張二程）の四人で、彼らの思想を体系化してつくり上げた新しい儒学こそが**朱子学**である。

『近思録』は、朱熹とその学友呂祖謙が、**周張二程の著作の中から**、**「その大体に関し、日用に切なるもの」六百二十一条を採録した入門書**だ。卑近な日常の心がけから、高遠な宇宙万物の原理まで、内容は多彩だ。

宋学のダイジェスト版

★無極にして太極あり。太極動いて陽を生じ、動くこと極まって静かに、静かにして陰を生ず。静かなること極まって復た動く。一は動き一は静かにして、互いに其の根と為り、陰に分れ陽に分れて両儀立つ。陽変じ陰合して水火木金土を生じ、五気順布して、四時行る。……乾道は男と成り、坤道は女と成る。二気交感して万物を化生し、万物は生生して変化窮まること無し。（道体）

周敦頤『**太極図説**』からの引用だ。一読して老荘っぽい。実際、「無極」は『老子』に見える言葉で、儒家文献には見えないという。『老子』は、道から一、一から二、二から三、三から万物が生じ、万物は陰と陽を抱える、と述べた（第四十二章）。この「道」が「無極」、「一」が「太極」、「二」が「陰陽」だと解釈すれば、周敦頤の説と似ている。ともあれ、**実践道徳を語る儒学が万物生成のプロセスを思弁しているところに驚いてほしい**。老荘に対抗した感がすごい。

「無極にして太極（無形かつ至極の理）」から、陽・陰の二気→「両儀（天と地）」、水・火・木・金・土の五気→「四時（季節）の運行」が生じる。そして乾道（陽の気）から男、坤道（陰の気）から女が成り、この男女二気が交感して万物が生じ、万物は生生流転する。

このように、『近思録』は引用で構成される。宋学（宋代に生まれた新儒学）のダイジェスト版だ。ここでは、儒家らしからぬ思弁的な部分を紹介したが、学問の態度、仕事の心得、処世術など、身近な内容も含む。たとえば、以下、為学大要篇のさわりを。

★「**聖は天を希い、賢は聖を希い、士は賢を希う**（聖人は天の徳と一致したいと望み、賢人は聖人になりたいと望み、士は賢人になりたいと望む）」は、背伸びせず、身近なところから一歩一歩進むべきだと説く。まずは賢人を見習え。誰もが大谷翔平になれるわけではない。また★「**彼の文辞のみを以てする者は、陋なるかな**（文章だけに留まっている学問は卑しいものだ）」、学問は体得するものであって、ただブログやSNSにアウトプットして満足しているようなら、そんな学問はくだらない。★「**聖賢の言は、已むを得ざればなり**（聖賢の言葉はやむを得ず発したものなのだ）」、聖人や賢人が言葉を残したのは、後世に道理が伝わらないことを恐れたからであって、いまの連中のように、名誉欲や承認欲求を満たすためではない。**読んでいて耳から血が出るほど痛い**です。

この本のポイント

❶『近思録』は、北宋の儒者（周敦頤・張載・程頤・程顥）の言葉を集めたもの。
❷「勉強が進まないのは、やる気がないからだ」など、耳に痛い警句も多数。
❸明治書院版は、原文・書き下し・口語訳・語注などが整備されていてよき。

20『伝習録』

王陽明

『伝習録』溝口雄三 訳/中公クラシックス

陽明学の入門書。王陽明とその門人の問答録。書名は『論語』の「習わざるを伝うるか」より。門人の抱く素朴な問いは私たちの問いでもある。王陽明の答えを読み、現代人は彼の「心即理」「知行合一」といった思想を理解する。

王陽明(1472～1529):明(1368～1644)の人。名は守仁、字は伯安。陽明は号。朱熹の教えに従い、庭の竹の「理」を極めようとして、具合を悪くする。そこで朱子学と決別し、「心即理」を唱え、陽明学を生んだ。

文字量 ■■□ 難易度 ???

朱子学と陽明学――中国近世哲学のツートップ

次は**王陽明**の登場である。彼は明の思想家だ。

南宋滅亡後、モンゴル政権の**元**を経て、再び漢族政権の**明**が成立する。明は**朱子学**を官学として全人民に徹底的に教え込んだ。李氏朝鮮や江戸幕府も同じことをしている。よほど為政者にとって都合のよい思想だったんだなと思う。前漢が「儒学を官学化」したのも、皇帝支配を正当化する都合のよい思想だったからなので、儒学はそもそもそういう思想だ。

その朱子学に反旗を翻したのが王陽明だ。

朱子学によれば、万物は「理」と「気」でできている。「理」はそれぞれが持つ性質で、「気」はそれぞれを構成する物質だ。僕もチワワも、みな同じ「気」でできている。材料は一緒だ。でも、僕とチワワがこれほどに違うのは、「理」が異なるからだ。

朱熹は「**性即理**」という。天から与えられた善なる性が理にほかならないと。この「理」は外にあるもので、道理（仁・義・礼・智）も物理法則と同じように存在する。朱熹は、『大学』を踏まえ、読書と静坐（瞑想）によって「格物」せよ（物の道理を極めよ）といい、「修己治人（己を修めて聖人君子となり、人民を教化する）」という。要するに、朱子学は士人（＝エリート）の学問である。**おまえら選ばれた人間には、か弱き民を導く責務がある、修身せよ**というわけだ。

一方、王陽明は「**心即理**」と反論した。心こそが理だと。「理」は内にあるもので、**心に従って行動すれば、それは自然と理**（忠・信・孝・悌）**にかなう**。読書によっては、道理を極められない。なぜなら、理は外になく、内なる心にあるからだ。四書五経を読まずとも、心に意識を向けて「格物（心にある道理を極める）」すれば、「**致良知**（良知＝道徳的本性を発揮）」して、士人も庶人もみな聖人になれる。明は人民に朱子学を教えようとしたが、実践できるわけがない。日々生きるのに精一杯なのに、読書？　静坐？　はあ？　でも、「学問など不要、誰でも聖人になれる」と王陽明は主張した。実は「**心即理**」**のほうが孟子の性善説に忠実**だ。しかし、当時は朱子学が官学＝正統な儒学だったので、陽明学は異端の学問扱いになった。

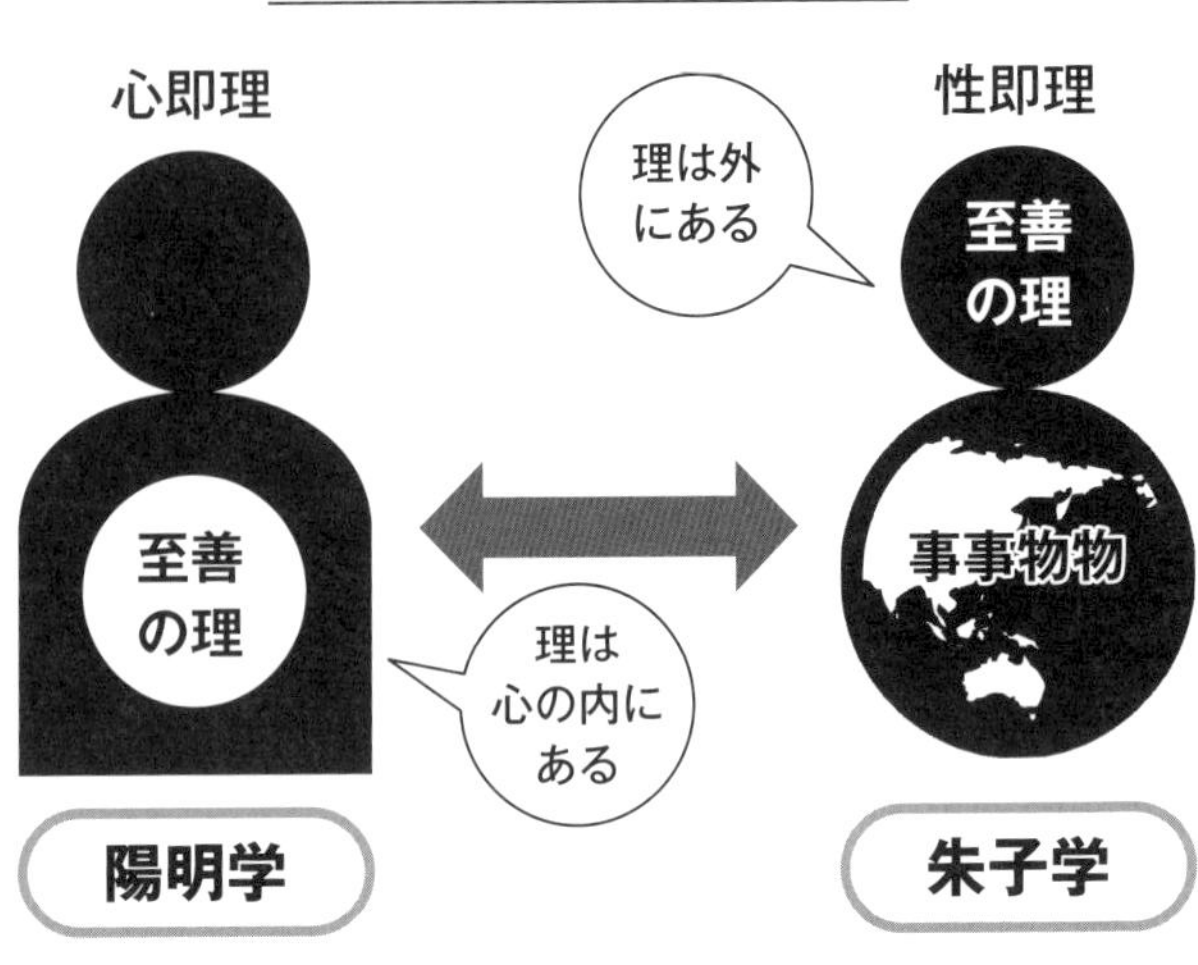

『伝習録』は問答録

『伝習録』は、**王陽明とその門人のやりとりが収められたもの**だ。その点で『朱子語類』と同じ。ただ主題別に編集されておらず、上巻には陽明四十歳ころの言葉、中巻・下巻には晩年の言葉が収められている。陽明学の入門書であり、基本文献となる。

実際の文章はこんな感じ。

心は即ち理なり。天下又心外の事、心外の理有らんや（上巻）

（心は即ち理である。この世に心の外のことや、心の外の理などどうしてあろう）

「心即理」を明言した部分だ。

朱子が「事事物物のうえに至善なる理がある」と述べたのに対し、王陽明は、理は事物＝外にはない、至善とは心の本体そのものであり、己の明徳を明らかにして（明明徳：『大学』の三綱領の一つ）、精一の極に至る以外にない、と反論した。これについて門人の徐愛が「（先生のおっしゃる通り）至善をただ己の心に求めるならば、おそらくは世の中のすべての事物の道理を明らかにし尽くすことなど不可能でしょう」と反論すると、王陽明は「**心こそが理なのだよ。心の外に理はないのだ**」と諭した。

何度も言ってきたじゃん、と王陽明がやや呆れている感じも伝わってくるのが、『伝習録』の魅力だ。たとえば、「**知行合一**」説について徐愛が「孝や悌の徳を知っているのに実行できないのは、知と行が明らかに二つだからですよね」と問うと、「**未だ知りて行はざる者有らず。知りて行はざるは、只だ是れ未だ知らざるなり**（知っていたら誰もが実行する。知っていて実行できないのは、まだ知っていないからだ）」と諭す。詭弁っぽいけれど、ぐうの音も出ない。

王陽明の思想は50歳を超えて完成するから、その完成形を求める人は中巻・下巻から読むのがオススメだ。彼がその思想の真髄「致良知」を発見したのは、まさに50歳のとき。その喜びを「**直だ是れ痛快、手の舞い足を踏むを覚えず**」と語ったという。「良知」は、もともと『孟子』の言葉で、「慮らずして知る所の者」（尽心上）であり、この「知」とは「是非の心は智なり」（告子上）の「智」だと王陽明は見なした。

「天は即ち良知なり」「良知は即ち天なり」（下巻）と言い、良知は、個人のものではなく、天地万物と一体だと説く。そして「良知は只だ是れ箇の是非の心なり（良知はほかでもなく是非の心である）」「是非は是れ箇の大規矩なり。巧処は則ち其の人に存す（是非こそ大いなる基準である。うまく使えるかどうかはその人による）」（同）と述べ、良知は是非善悪の判断基準となるものだが、これに従ってうまく行動できるかどうかはその人次第だと言う。

これを王陽明は「**聖人の知は青天の日のごとく、賢人は浮雲の天の日のごとく、愚人は陰霾の天の日のごとし**（聖人の知は晴天の太陽、賢人の知は薄曇りの空の太陽、愚人の知は黄砂に覆われた空の太陽のようだ）」とたとえる。太陽は良知、雲や黄砂は「欲」。愚人の知は欲に覆われるから、善悪の判断をはっきりできない。でも、夜でさえ明暗の区別ができるように、愚人も少しは善悪の区別ができるから、これを手がかりに良知を致すべきだと説く。なお良知は、中下巻で三二〇ほど出てくる（上巻は四）。その熱い良知論をぜひ自分の目で確かめてほしい。

この本のポイント

❶『伝習録』は、王陽明と門人の問答録で、陽明学の入門書。
❷師と門人のリアルなやり取りを楽しめる点では『朱子語類』と同じ。
❸手軽に楽しむなら中公版を。原文・書き下しも見るなら明治書院版を。

第3章

他人とどう関わるか

21『孫子』

孫武（そんぶ）

『孫子』金谷治 訳注／岩波文庫

世界最古の軍事思想書。全編を貫くリアリズム。駆け引きで敵を翻弄し、情報戦を制して優位に立ち、戦う前に勝ちを決して「戦わずして勝つ」。戦争とは、行軍とは、戦場とはと思索を重ね、体系的な軍事思想を生んだ。

文字量

難易度

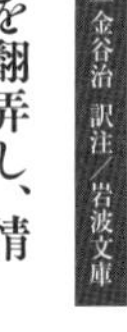

孫武（生没年不詳）：春秋時代（前770〜前403）の人。五覇の一人、呉王闔閭に仕えたとされる。戦国時代（403〜221）の孫臏（生没年不詳）も兵法書『孫子』を残しており、そちらは1972年に銀雀山から出土した。

世界最古の軍事思想

『孫子』の成立は、いまから二千年以上前。春秋戦国時代。

戦争が途絶えぬ日々の中、**戦争の諸原則を深く探求し、軍事思想にまで高めたのが『孫子』**である。西欧では、こうした軍事思想の登場は、十五世紀末のマキャベリまで待たなければならない。『孫子』の名は、同じ軍事思想家の**呉子**（ごし）とともに天下に轟き、「孫・呉の書を蔵する者は家ごとに之れ有り」（韓非子）と記されるほど。その後は世界を席巻し、武田信玄がその一節「風林火山」を旗幟に記したり、ナポレオンが座右の書にしたりした。

春秋時代、戦争の主体は誇り高き「士」だった。ところが、『孫子』の「兵」は、**徴用されて嫌々戦場に連れてこられた**「**衆**」だ。戦闘意欲はなく、隙あらば軍令に違反し、戦闘を放棄して戦場から勝手に離脱した。そんな彼らをいかにして命がけの戦闘に駆り立てるのか。

『孫子』が重視するのは**果断な処置**である。

兵卒を死地に赴かせるには将軍が彼らを「愛おしい赤子」のように可愛がらなければならない。しかし「愛するも令する能はず、乱るるも治むる能はざれば、譬へば驕子のごとく、用ふべからず（可愛がるばかりで命令できず、乱れても統制できないようであれば、そんな兵卒はわがまま息子みたいなもので使いものにならない）」（地形）と述べる。**部下を可愛がるのは当然でも、彼らがつけあがって言うことを聞かなくなる事態は避けなければならない**。

著者とされる孫武が呉王の前で軍隊指揮の実演をした。彼はまず宮中の美女一八〇人を集めて左右に分け、呉王の愛姫ふたりを隊長に任命し、「右の合図で右を、左の合図で左を向くように」と取り決めを伝えた。ところが、右の合図の太鼓を打っても、美女たちは笑うばかり。孫武は再び取り決めを言い聞かせてから、右の合図の太鼓を打った。美女たちはまたも笑うばかり。孫武は「取り決めを徹底したのに命令が行き届かないのは隊長の責任だ」と述べ、呉王の制止も振り切り、愛姫ふたりを斬り殺し、新たに隊長を任命した。美女たちは、今度は孫武の命令に従って整然と動き、言葉ひとつ漏らさなかった（『史記』孫呉列伝）。

ほかに★「之れ〈＝兵卒〉を往く所無きに投ずれば、死すとも且た北げず」★「往く所無ければ則ち固し」と、意欲のない兵卒であっても、**戦うほかどうしようもない状況に置くことで死力を尽くさせられる**とも説く（九地）。将軍は素知らぬ顔で兵卒を死地に追い込めばいい。兵卒は、生き残るために、勝手に一致団結し、しかも懸命に戦う。

『孫子』に通底するのは**リアリズム**だ。意欲のない人間をあの手この手で鼓舞しても無駄だと達観している。だから兵卒を死地に置く。「ここで死ぬか戦うか」と二択を迫れば、どんな人間でも必死になる。もし、あなたの上司が熱心に『孫子』を読んでいたら危険な兆候だ。のらりくらりとふるまって、気づけば、あなたを死地に追い込んでいるだろう。

「**戦わずして勝つ**」も、徹底したリアリズムから導き出された原則である。

『孫子』は★「**兵とは国の大事なり**。**死生の地、存亡の道、察せざる可からざるなり**（戦争は国家の一大事である。死活を決め、存亡を左右する分かれ道だから、熟慮しなければならない）」（計）から始まる。戦争は、軽戦車千台、重戦車千台、武装兵十万人もの規模を持ち、千里の外に兵糧を輸送するとなれば、日ごとに千金もの出費になる（作戦）。とにかく**金がかかる**のだ。

だから★「**兵は拙速を聞くも、未だ巧の久しきを睹ざるなり**」（作戦）と述べて短期決戦を主張し、★「**戦わずして人の兵を屈するは、善の善なる者なり**」（謀攻）と、直接的な戦闘を回避し、謀略や外交戦略を駆使して敵国を屈する道を説く。

『孫子』は**勝てる戦争しかしない**。いわゆる戦争上手は容易に勝てる相手と戦い、当然のように勝つ。だから派手な勝利もなく、智将の名声もなく、武勇の功績もない。名将の誉れ高い将軍は、薄氷の勝利を運よく重ねてきただけだ。★「**勝兵は先ず勝ちて而る後に戦を求め、敗兵は先ず戦いて而る後に勝を求む**」（形）。勝てる軍は戦う前にすでに勝っている。やってみなければわからないとばかりに戦ってみる軍は負けるのだ。

だから開戦に先立ち、「**廟算**（びょうさん）」（祖先の霊を祀る宗廟で彼我の勝算を比較・計量）」して勝敗をはかる。勝算がなければ戦ってはならない。「以て戦うべきと以て戦うべからざるとを知る者は勝つ（戦うべきかどうかを見極められる将軍が勝つ）」（謀攻）と、戦機を的確に見極められる者が勝者になる。これが、かの有名な★「**彼**（か）**れを知り己**（おの）**れを知らば、百戦して殆**（あや）**うからず**」（謀攻）につながる。徹底した情報収集と彼我の戦力分析、謀略や外交戦略による入念な下準備によって勝算を増やしていき、勝てるときだけ戦う。**これが『孫子』の唱える戦争の勝ち方**だ。

この本のポイント

❶『孫子』には誰でも敵に圧勝できる魔法の必勝法が書いてあるわけではない。
❷戦争をはじめる前に勝っておくこと、それどころか戦わずして勝つことを説く。
❸あなたの上司がもし熱心に『孫子』を読んでいたら要注意。死地に置かれるぞ！

22『呉子』

呉起

兵を戦うか死ぬかの極限状況に追い込んだ孫子と異なり、呉子は兵と寝食をともにし、一緒に歩き、腫れ物ができればその膿を吸い出してやった。兵は命を捨てて戦ったという。その書には、人のやる気を引き出す極意がある。

『孫子・呉子』町田三郎・尾崎秀樹 訳／中公文庫

文字量 ■□□　難易度 ??□

呉起（?～前381）：戦国時代（前403～前221）の人。魏の文侯に仕え、将軍として対秦防衛に活躍。楚に亡命したのち、宰相として改革を断行し、中央集権化と富国強兵を進め、群臣王族に恨まれて非業の最期を遂げる。

「孫呉の兵法」の〝じゃない〟ほう

『呉子』の中身は知られていない。「孔孟」「老荘」と同じく「孫呉」と並び称されるのに残念すぎる。知名度は割と高いのに、実際に読んだ人はほぼいないだろう。

十一世紀、宋の時代には、『孫子』『司馬法』『尉繚子』『六韜』『三略』『李衛公問対』とともに**『呉子』は「武経七書」に選ばれた**。「武経」とは、武の経典。「武経七書」は、軍事思想書の「全時代ベスト7」である。それなのに、映画化・マンガ化どころか、児童書にさえなっている『孫子』に比べて『呉子』の扱いはひどいものだ。

率先して動く兵の育て方

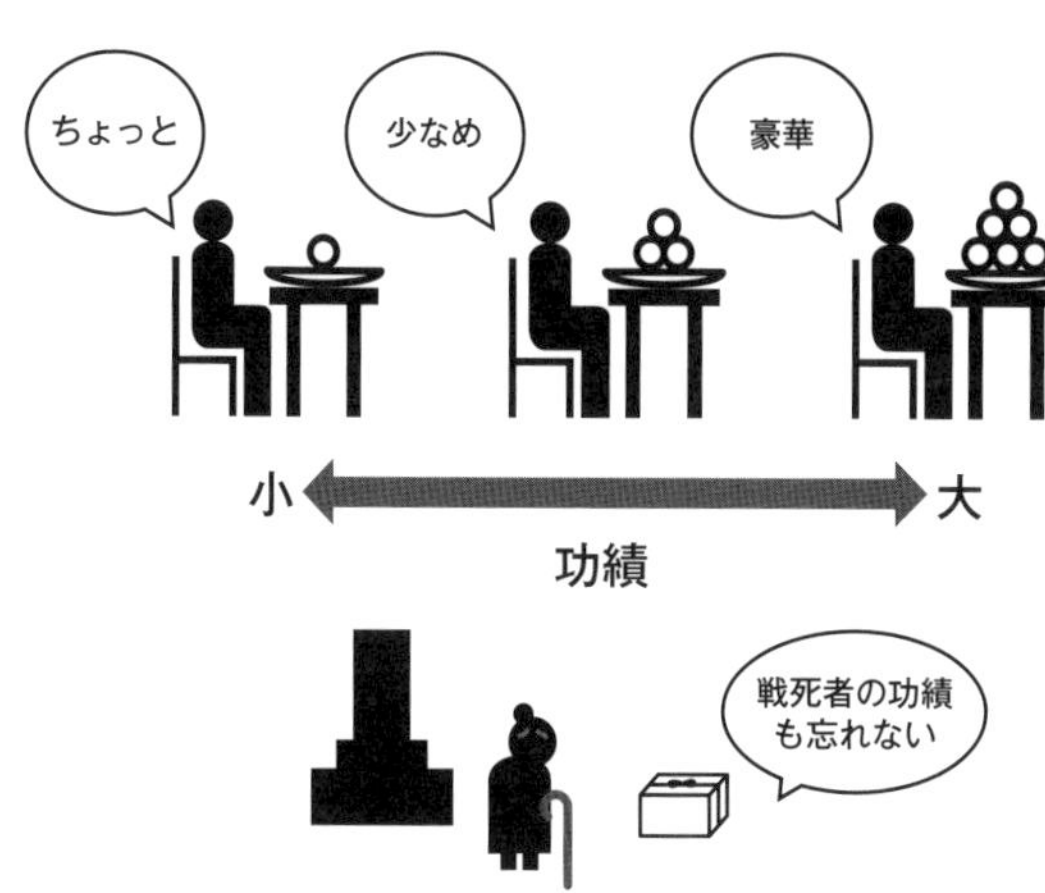

著者の呉起は戦国時代前期の将軍。衛（えい）の出身で、儒家の曽子（孔子の弟子）に学び、破門されたあと、隣国魯（ろ）で兵法を学んで将軍になった。魯が斉の侵攻を受けたとき、呉起を大将にしようとしたが、彼の妻が斉出身だったことから疑われた。すると、呉起は妻を殺して二心がないことを明らかにし、大将となって斉を撃破した。

結局、讒言にあって魏に渡り、将軍として活躍したが、再び讒言にあって楚に亡命。楚王の信任を得て政治改革を断行し、不急の官を削減、遠縁の王族の封禄を停止し、軍事力を増強して、楚の版図を拡大した。だが、守旧派の恨みを買って殺された。

生涯成績は七十六戦六十四勝、残りは引き分け。つまり無敗。

呉子流「人の動かし方」

呉子も★「**進めば重賞あり、退けば重刑あり、之を行うに信を以てす**」（治兵）と述べて信賞必罰が勝利の鍵だとは述べる。ところが、信賞必罰は「恃むところに非ざるなり（頼りにならない）」（励士）と言い、★「**夫れ号を発し令を施して、人聞くことを楽しみ、師を興し衆を動かして、人戦うことを楽しみ、兵を交え刃を接えて、人死することを楽む**（そもそも号令を発して人がそれを喜んで聞き、軍を出し民衆を動員して人が喜んで戦い、敵兵と切り結んで喜んで死んでいく）」ことこそが「人主の恃む所なり（君主の頼りになるものだ）」（同）と主張する。

それでは、どうすればよいか。呉子は★「**君、功あるを挙げて、進めて之を饗し、功なきをば之を励ませ**（功績ある者を取り立てて饗応し、功績なき者を励ましなさい）」と言う。具体的には、宴会を開き、功績あるものを前列に、それに次ぐものを中列、功績なきものを後列に座らせる。前列は豪華な料理、中列は皿数少なめ、後列はほんのちょっと。宴会後にはその父母や妻子に土産物を渡すが、このときも功績に応じて差をつける。そして戦死したものは出席できないから、毎年、使者を送ってその父母を労い、贈り物を渡し、功績を忘れていないと知らせる。

実際、魏の武侯（呉起の主君）がこれを三年実行したところ、敵国の秦が侵攻してくると、数万の人々が命令も待たず、自発的に武装して、敵を迎え撃とうとした。

呉子に言わせれば、戦を制するのは兵の「数」ではなく「やる気」だ。「**一人、命を投ずれば、千夫を懼れしむるに足る**（一人の人間が命を投げ出せば、千人を恐れさせることができる）」（同）。そこで呉子は武侯に、我に五万人を与えよ、それだけあれば、秦の五十万の大軍を破ってみせる、と告げた。面白いのは、前列の功績あるものではなく、後列に座った功績なきもの五万人を与えよと告げた点だ。毎試合得点を決めているエムバペ（仏代表のスゴいサッカー選手）よりも、むしろ結果を出せていないベンチの選手を起用したいというのだ。それは「夫れ人、恥あるときは、大に在りては以て戦うに足り、小に在りては、以て守るに足る（そもそも人が羞恥心を抱くとき、それが大きければ戦えるし、小さくても守れる）」（図国）と、**人は恥を感じるからこそ必死になれる**と考えていたからだ。

呉子は兵を大切にし、しっかりと育てる。功績をあげれば、たっぷり報いたうえで、功績をあげられなかった兵にこそチャンスを与える。僕は『孫子』よりも『呉子』が好きだ。

この本のポイント

❶ 呉子は「やる気」重視。兵の待遇をよくし、たっぷり休養を与えよという。
❷ 徳治によって教化し、退いて生きるを恥とする誇り高き兵士を育てよともいう。
❸ 上司が『呉子』を読んでいたら喜ぼう。彼は必ず良い上司になる。

23『墨子』

小説にもマンガにも映画にもなった墨子。戦国時代には、あの儒家と天下を二分するほどの勢力を誇っていた。平等愛を説く兼愛や、侵略戦争を否定する非攻など、ちょっといい感じのことを言ってるけれど、さて、その実態は？

墨翟

『墨子 ビギナーズ・クラシックス 中国の古典』草野友子／角川ソフィア文庫

墨翟(前470?～前390?)：春秋時代(前770～前403)末期の人。正体について諸説ありすぎ。出身地は魯か宋。元罪人とも工人とも下級士族とも言われる。守城専門の強力な軍事集団をつくり、その実力は成語「墨守」に残るほど。

文字量 📖📖

難易度 ???

墨子は科学技術の聖人

墨子は諸子百家のひとりだ。**諸子百家とは、春秋戦国時代に活躍した思想家たちの総称**で、墨子・老子・荘子・韓非子といった○○子、墨家・名家・法家・道家・陰陽家・縦横家・雑家といった○○家を指す。中でも、**漢代に別格になる儒家と互角に渡り合ったのが墨家である。**孟子は「楊朱・墨翟の言、天下に盈ち、天下の言説は楊朱でなければ墨翟に属している」と述べて苛立ちを隠さず、また「世の顕学(＝流行の学問)は儒墨なり」(韓非子)、「孔墨の弟子徒属は天下に充満す」(呂氏春秋)と言われるほどだった。

しかし**墨家は、秦帝国が成立するころ、忽然と姿を消した**。それから約二千年のあいだ絶学だったが、清代の学者たちが『墨子』を発見して世に出し、**その兼愛・非攻といったキリスト教にも通ずる思想が再評価されることになった**。

そしていま『墨子』の中に科学的思考や光学に関する記述があるところから、中国科学の源流が前3世紀の『墨子』にあったとして、**墨翟は「科聖」＝科学技術の聖人として再再評価されている**。二〇一六年八月、中国が宇宙スケールで量子情報通信や量子もつれ・量子テレポーテーションなどを実験するため、世界初の量子科学実験衛星を打ち上げた。その名も「**墨子号**」。先端技術のつまった衛星にそんな名前がついたのはそのためだ。

実は**墨翟その人についてはよくわかっていない**。『史記』の列伝にも、墨翟についてはたった二十四字、「たぶん墨翟は宋の大夫。守りが得意で、節約につとめた。孔子と同時代かその後の人」としか書いていない。彼が科学者かどうかと聞かれたら、もちろん「？」がつく。

彼が築いた墨家集団はとにかく苛烈。鉅子(きょし)と呼ばれる頭領に統率されており、その命令は絶対だった。前三八一年、鉅子孟勝(もうしょう)は楚(そ)の貴族陽城君(ようじょうくん)から居城の守禦(しゅぎょ)を委託されていた。侵略戦争を否定する墨家集団は守城戦術を磨き、依頼を受けては各地で侵略を防いでいたのだ。ところが、陽城君は楚王の粛清の対象となって亡命し、彼の居城は没収される。城を守れなかった孟勝は契約不履行の責任をとって集団自決を訴え、一八〇人の弟子は残らず従った。

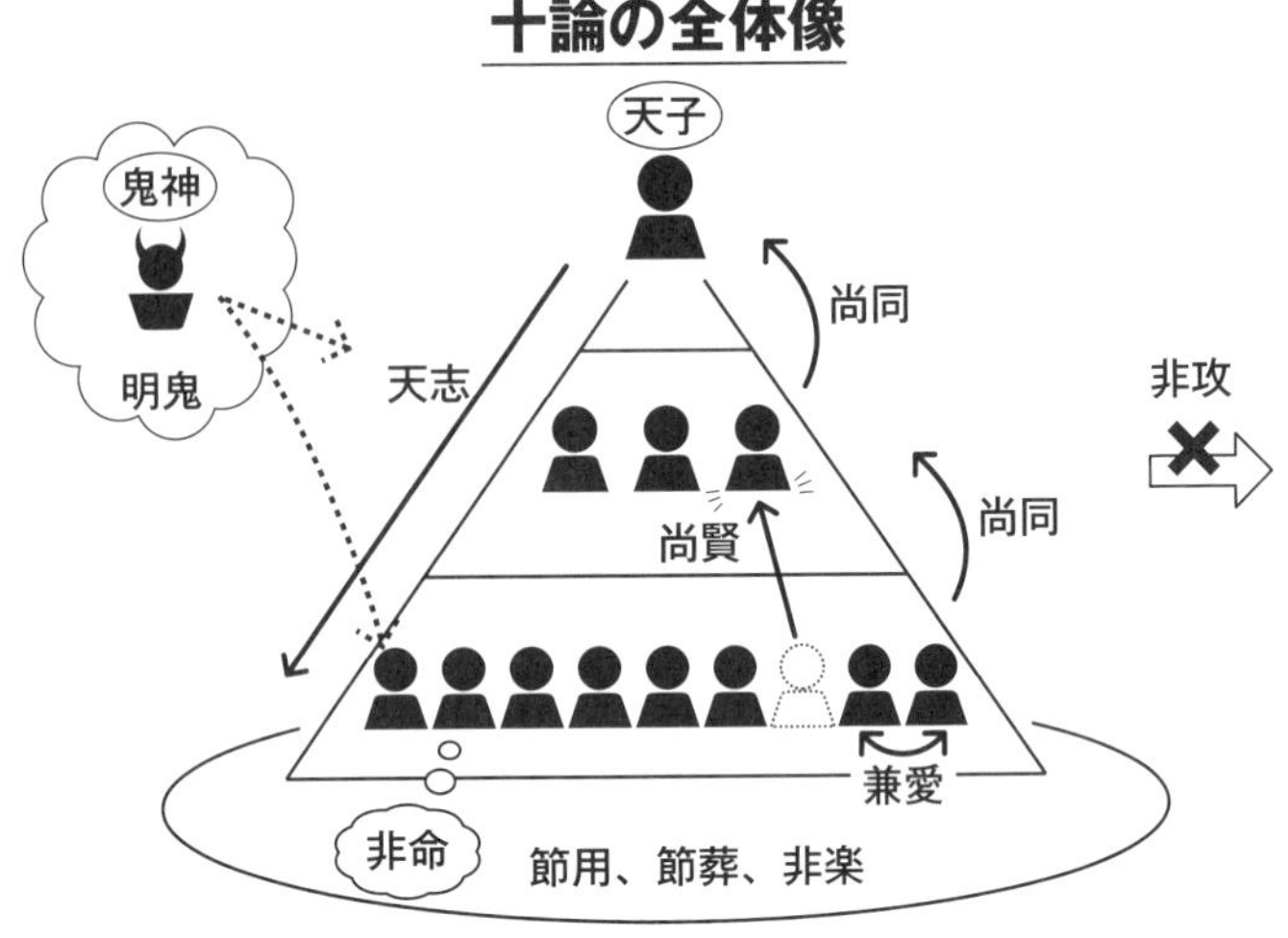

墨家思想の根幹は「十論」

十論とは**尚賢**・**尚同**・**兼愛**・**非攻**・**節用**・**節葬**・**天志**・**明鬼**・**非楽**・**非命**の十の主張である。

まず**兼愛**とは「**自分を愛するように他人も愛する**」こと。墨子は天下の乱れは「**相愛さざるに起こる**」（兼愛上）と言い切る。父が子を愛さず、子も父を愛さない、君が臣を愛さず、臣も君を愛さない、といった「相愛さざる」状態では、父も子も、君も臣も、それぞれ自分の「利」を追求して、他人をないがしろにする。盗難や貴族同士の争いや侵略戦争といった乱れは、すべてここから生まれる。**自分の利益のためには、他人などどうなってもいいと考えるから**だ。

乱れの原因が「相愛さざる（相手を愛さない）」にある以上、「兼て相愛す」（兼愛上）つまり**兼愛＝人々が自分を愛するように他人も愛する**ことですべて解決する。他人も愛すれば、彼を傷つけたり殺したり彼の財産を奪ったりはしないからだ。

次に**非攻**とは「**侵略戦争を否定する**」こと。墨子の論理はシンプルだ。他人の畑に入って桃や李を盗めば、人は非難する。それは「人を虧きて自ら利する（他人に損害を加えて自分の利益をはかる）」（非攻上）行為だからだ。犬や豚や鶏を盗めば、その罪は桃や李よりも重い。他人に加える損害がより多くなるからだ。馬や牛を盗めば、その罪はさらに重く、無辜の人を殺して身ぐるみ剥いで奪えば、その罪はさらに重くなる。つまり他人に加える損害が多くなればなるほど、その罪は重くなる。だとすれば、**最も他人に損害を加える侵略戦争は、最も罪の重い行為**であり、これを認めるわけにはいかない。

墨子は、「**利益を最大化＝善、利益を奪う＝悪**」という功利主義な発想をしているように見える。兼愛は一視同仁の平等愛であってキリスト教的だと言われるけれど、実際は**統治のための手段に過ぎない**。「殺すなかれ」と法で禁じるかわりに「兼愛せよ」＝他人に損害を加えるなと呼びかける。また、非攻も平和思想であってキリスト教的だと言われるけれど、**侵略戦争は他人の利益を侵害するから悪**なのであって、戦争自体は悪ではない。だから**利益を守る防衛戦争は肯定**する。墨家は守城戦術を極め、戦闘集団を組織し、各地で防衛に協力した。

以下、残りの十論を簡単に紹介する。

尚賢とは「賢人を尚ぶ」こと。墨子は、国を豊かにするには、**出身階層にこだわらず、有能な人材を登用し、国政を任せるべきだ**と説き、そのためには彼らを**厚遇しなければならない**と主張した。僕らには当然に聞こえるけれど、当時は身分制社会であり、宰相や大臣などの要職を有力貴族が世襲していた時代だったから、この主張はかなり斬新だった。

尚同とは「**上位者の指示に従う**」こと。上位者の命令は絶対だ。孟勝による集団自決を思い出してほしい。墨子の論理はこれもシンプルである。昔は「義」が人ごとにバラバラであり、二人いれば二つの義が、十人いれば十の義があった。そして自分の義は正しく、他人の義は誤りだとするから、争いが起き、人々は助け合ったりしなかった。

そこで天子（天の命を受けて天下を治める王）→諸侯→宰相→大臣→里長→郷長という**天子を頂点とするピラミッド型の組織**をつくり、それぞれに賢人を配置して、義（＝善悪）をすべて賢人に定めさせた。人民は勝手に善か悪かを判断せず、必ず郷長（上位者）の指示に従わなければならない。これが**尚同**である。その郷長は里長に、里長は大臣に、大臣は……と遡上して、最後に諸侯は天子の指示に従うから、**天下全体が単一の価値基準に基づいて統治される**。ある意味、全体主義的であり、法家思想に近く感じる。

こうして兼愛・非攻などの理念を天下全体に徹底させるわけである。

天下万民は天子の指示に従わなければならない。なぜなら、この天子の指示こそが天の意志だからだ。これが**天志**。天子の指示が天志に反すれば、人民が天子に尚同（＝指示に服従）していても、天は突風や長雨といった災害を起こして人々に懲罰を加える。人々が天志に従っているかどうかは、**鬼神**と呼ばれる霊的な存在が監視しており、善を見ては必ず賞し、悪を見ては必ず罰する。この鬼神の存在を説くのが**明鬼**。ということは、吉凶は自分の行動次第であって、運命など存在しないと説くのが**非命**。

こうして**人々が天志**（**兼愛・非攻**）**に従い、鬼神を尊重する**ことで、「**天下の利を興し、天下の害を除く**」＝**利益の最大化**という最終目的を達成できる。その一環として**節用・節葬・非楽**を説く。王侯貴族の葬儀（バカ高い副葬品だらけの墳墓とか）や音楽（フルオーケストラみたいなもの）をやめて節約することで、「天下の利」を最大化するのが目的だ。

初心者向けなら角川ソフィア文庫、詳しい解説を求めるなら講談社学術文庫がオススメ。

この本のポイント

❶ 墨子その人のことはよくわかっていないが、墨家集団は引くほど過激だった。
❷ 墨子の思想といえば、他人も愛せの兼愛と平和思想の非攻は必ず押さえておく。
❸ 全体主義的な統治を説く尚同の思想に着目すると、墨子のイメージは変わるぞ。

24『韓非子（かんぴし）』

韓非

かの始皇帝に「この本の著者と語り合えるなら死んでも心残りはない」と言わしめた『韓非子』。彼の法家思想は、邪悪な思想として激しい批判を受けるけれど、人々を魅了し、二千年以上も読まれ続けた。

『韓非子』金谷治 訳注／岩波文庫

文字量 📖📖📖　難易度 ？？？

韓非（?〜前234?）：戦国時代（前403〜前221）末期の人。韓の公子。李斯（りし）とともに儒家の荀子に学ぶ。秦王政（のちの始皇帝）は韓非の思想に魅了されたが、それを妬んだ李斯が讒言（ざんげん）して韓非を自死に追い込んだ。

法家思想は諸刃の剣

韓非子の思想は悪名高い。

彼が生きたのは戦国時代。「戦国の七雄」と総称される七大国が覇をめぐって争い、秦王政（のちの始皇帝）が登場して、まもなく天下が統一されるころだった。彼の思想は情け容赦のない政治思想であり、**他国を圧倒して覇王になる**という目的達成のためには、どんな手段も赦されると考えていた。「君主は、自分の臣民を結束させ忠誠を尽くさせるためには、残酷だとの汚名を気にかけてはならない」と断言するマキャベリ『君主論』を思い出す。

韓非子の思想を**法家思想**と呼ぶ。**厳格に法を運用して君主の思うままに臣民を使役することを説く**。ひとたび君主が号令を発すれば、すべての臣下と人民が黙って従い、働けと命じれば懸命に働き、戦えと命じれば死を賭して戦う。実際、法家思想を採用した秦は強力な軍事国家に成長し、他国を圧倒して天下を統一した。つまり、韓非子の思い描く通り、覇王になったのである。

法家思想は劇薬である。その苛政・厳罰に臣民は苦しむ。たとえば、こんな逸話がある。

秦の二世皇帝の治世。陳勝と呉広は九百人の貧民を連れて漁陽に向かっていた。辺境の守備に当たるよう命じられたためである。ところが、途中、大雨で道が冠水して通行不能となった。このままでは期日までに漁陽に到着できない。そして期日に間に合わない場合は死刑と決まっていた。陳勝・呉広は全員を集めて「このまま漁陽に向かっても、期日に間に合わずに死ぬ。かといって逃げても、捕らえられて死ぬ。じゃあと叛旗(はんき)を翻しても、やはり敗れて死ぬだろう。だが、どうせなら国のために死のうではないか」と訴え、挙兵に踏み切った。陳勝の軍は数万に膨れ上がり、彼は陳で王朝を開いて王となった。

この逸話に象徴されるように、**法家思想の秦は、その厳格さゆえに滅亡したと**される。

統治の要は「形名」「法術」

韓非子によれば、**人間の行動原理は利益にある**。たとえ愛する君主でも、その死が利益になるなら、臣下は殺しにかかる。だから**君主は臣下を信頼してはいけない**。彼らは君主の**権勢**を前に否応なく従っているだけで、絶えずその隙をうかがう潜在的な敵だ。君主は臣下に職掌を割り振り、その行動（**形**）と発言（**名**）が一致しているかを観察し、功あれば賞し、罪あれば罰する。君主が賞罰の権限を握り、利（アメ）と威（ムチ）を巧みに使い分けて、臣下を手懐け己を畏怖させて統制する。これを「**形名**」あるいは「**術**」と呼ぶ。

韓非子の「**法**」とは、**臣民を支配するためにつくられた実定法**であり、自然法ではない。明文化されて公平厳格に運用される。法（ルール）は統一する。矛盾する法があってはならない。**臣民は法を学び、何をすれば賞を受け、何をすれば罰を受けるのかを理解し、良心や親愛の情ではなく法律を基準に行動する**。仁義（儒家）や兼愛（墨家）を唱える連中が戦場で戦うことはできない。だから、**臣民の行動原理を徹底して**「**法**」**に一本化**する。ほかの行動基準を認めてはいけない。

法があっても術がなければ、臣下を統御できない。術があっても法がなければ、国の混乱は避けられない。「法」「術」は「衣」「食」のような関係にある、と韓非子は言う。どちらが欠けても統治はうまくいかないのだ。

韓非子の魅力は多彩なたとえ話

韓非子の思想は、儒家思想が主要なイデオロギーとなる後漢以降、現在のナチズム並みに、悪の統治思想として批判・非難にさらされた。それでも絶えず読まれ続けたのは、思想そのものの魅力に加え、「矛盾」「守株」「和氏の璧」「蟻の一穴」「老馬の智」「余桃の罪」「侵官の害」などの多彩なたとえ話に理由があるだろう。

たとえば、「形名」「術」のエッセンスを語るときは次の話。

韓の昭侯が酔ってうたたねしていた。冠係は君が凍えてはいけないと衣をかけた。昭侯は目覚めて喜び、「衣をかけたのは誰か」とたずねると、「冠係です」との答え。そこで昭侯は**衣係と冠係を処刑した**。衣係は職務怠慢を、冠係は越権行為を理由に。寒いのは嫌だが、寒さよりも**官吏が他人の職掌を侵す害のほうが問題だ**と考えたからだ。

喜んでおきながら、衣をかけてくれた冠係をも処刑してしまう果断さがすごい。この意外すぎる展開を通して、**君主の統制を徹底するには、どんな事情があっても決して容赦せず、必ず処罰すべきこと**を、見事に描き出している。

ほかにも、君主が「法術」の価値を正しく見抜く難しさを語るときは次の話。

楚人の和氏が璞（玉の原石）を見つけて厲王に献上した。王が玉人（玉加工の職人）に見せると「石です」との答え。王は和をペテン師として左足を切らせた。厲王薨じ、武王が立つと、和はまた璞を献上した。王が玉人に見せると「石です」との答え。王は和をペテン師として今度は右足を切らせた。武王薨じ、文王が立つと、和は楚山のふもとで三日三晩慟哭し、涙も尽きて血となった。王は人をやって「足切り刑など珍しくないのに、なぜそこまで悲しむのか」と問うと、和は「足を切られたことなど悲しんでいません。**宝玉がただの石とされ、正直者がペテン師とされたことを悲しんでいる**のです」と答えた。王が璞を磨かせると、立派な宝玉だった。これを名づけて「**和氏の璧**」という。

両足を切られながら、血の涙を流して宝玉を献上しようとする和氏。この宝玉は「**法術**」の、和氏は「**法術の士**」のたとえだという。法術の士とは、君主のために厳格な法治を実施する政治家で、呉起や商鞅がそれに当たる。彼らが「法術」を使えば、大臣が権力を壟断することも側近が君主の威を借ることもできず、すべての人民は農耕と戦闘に駆り立てられる。だから彼らは臣民から恨まれるし、数々の妨害を受けるし、ついには非業の最期を迎える。

君主は「法術」の価値を理解しなければならない。しかし、飛び切りの価値があり、かつ無害な宝玉すら、君主に見出されるまでに、和氏は両足を切られた。法術は、その価値は理解しづらく、かつ佞臣や人民には有害で目障りだ。だから、なおさら君主は自分から法術の価値を理解し、法術の士を受け入れる必要がある。

韓非子を会社経営に活かすのであれば、まず**自分以外の人間は家族も含めて信用しない**。次に賞罰の基準を一本化して全社徹底する。目標は**覇権を握る**こと。覇権掌握につながるものは賞、つながらないものは罰。基準はシンプルだ。部下の発言（今期の目標など）と行動（業績・結果）を逐一確認し、細かく賞罰を下す。部下の勝手な行動は赦さない。人命救助のための遅刻だろうと、遅刻は遅刻として処罰する。やる気のない社員や無能をごまかそうとする社員や邪悪な役員には恨まれるけれど、**法術の士は非業の最期を遂げるものだと覚悟**する。一国の君主たるものは常に孤独なのだ。

この本のポイント

❶『韓非子』は覇王になるためには手段を選ばないラディカルな思想を展開する。
❷法家思想のエッセンスは臣下を統御する「術」と単一の行動規範である「法」。
❸人間に絶望し、夢やロマンを一切抱かない、その透徹した人間観も魅力的だ。

25『晏子春秋』

晏嬰

斉の荘公・景公に仕えた宰相晏嬰の言行録。二百章以上の故事を収録する。歴史記録というより伝説の賢人晏嬰を主人公にした歴史小説みたいなもの。賢明とはいえない凡愚な上司を持つ部下に必読の書と言えるかもしれない。

『晏子春秋』山田琢／新装版中国古典新書

晏嬰（？～前500）：春秋時代（前722～前403）の人。斉の霊公・荘公・景公の三代に仕え、名宰相とたたえられた。質素倹約につとめ、一枚の狐裘を三十年間着続けたと故事で知られる。身長は六尺（約140cm）に満たない小柄男子。

文字量   

難易度  

春秋時代を代表する賢人の言行録

晏子とは、晏嬰のこと。春秋時代末期の斉国で霊公・荘公・景公の三代に仕えた名宰相だ。孔子と同時代の人物で、『論語』公冶長篇に「晏平仲は善く人と交わる（晏嬰は交際上手）」という孔子の言葉もある。このころ、鄭の子産、呉の季札、衛の遽伯玉、晋の叔向といった賢人がそこここで名を残しているが、その中でも晏嬰の名声は群を抜く。

『晏子春秋』には、そんな彼の二百篇余りの短編故事が採録されている。**基本的な筋立ては、暗愚な君主を賢人の晏子が諌めるというものだ。**

君主は絶対権力者だ。気に入らない臣下がいれば、処刑・追放・監禁は思いのまま。そんな君主を諫めるのは、文字通り命がけだ。逆鱗に触れれば、そこで終了。だから、こんな話。

景公が七日七夜酒宴を続けた。臣下の弦章が「陛下、もう酒をおやめください。さもなくば、私に死をお賜りください」と諫めた。晏子が姿を現わすと、景公は「章がわしを諫めよった。臣下の言いなりになって酒をやめるわけにもいかんし、さりとて奴は殺すには惜しい」と言う。晏子は「章は相手が陛下で幸せです。もし、かの桀紂であれば、とっくに処刑されていたでしょう」と答えた。景公はそこで酒をやめた。

桀紂とは、夏の桀王と殷の紂王のこと。どちらも**酒池肉林に耽り**（紂王も七日七夜酒宴を開いた）、**自分を諫めた臣下を処刑**し（桀王は関龍逢を一刀両断にし、紂王は比干の心臓を抉り出した）、そして**国を滅ぼした暴君ズ**だ。

晏嬰の巧みさはここ。まず「陛下が相手で幸せです」と景公を持ち上げ、次に「桀紂ならとっくに処刑されていた」と続ける。もしここで**景公が諫臣の章を処刑したら、やっていることは、かの桀紂と同じ。国は滅び、あんたも殺されるぞ、諫言を受け入れろ**、と暗に伝えた。それを悟った景公は、章の諫言を受け入れて酒宴をやめる。

晏嬰式の暴君説得法

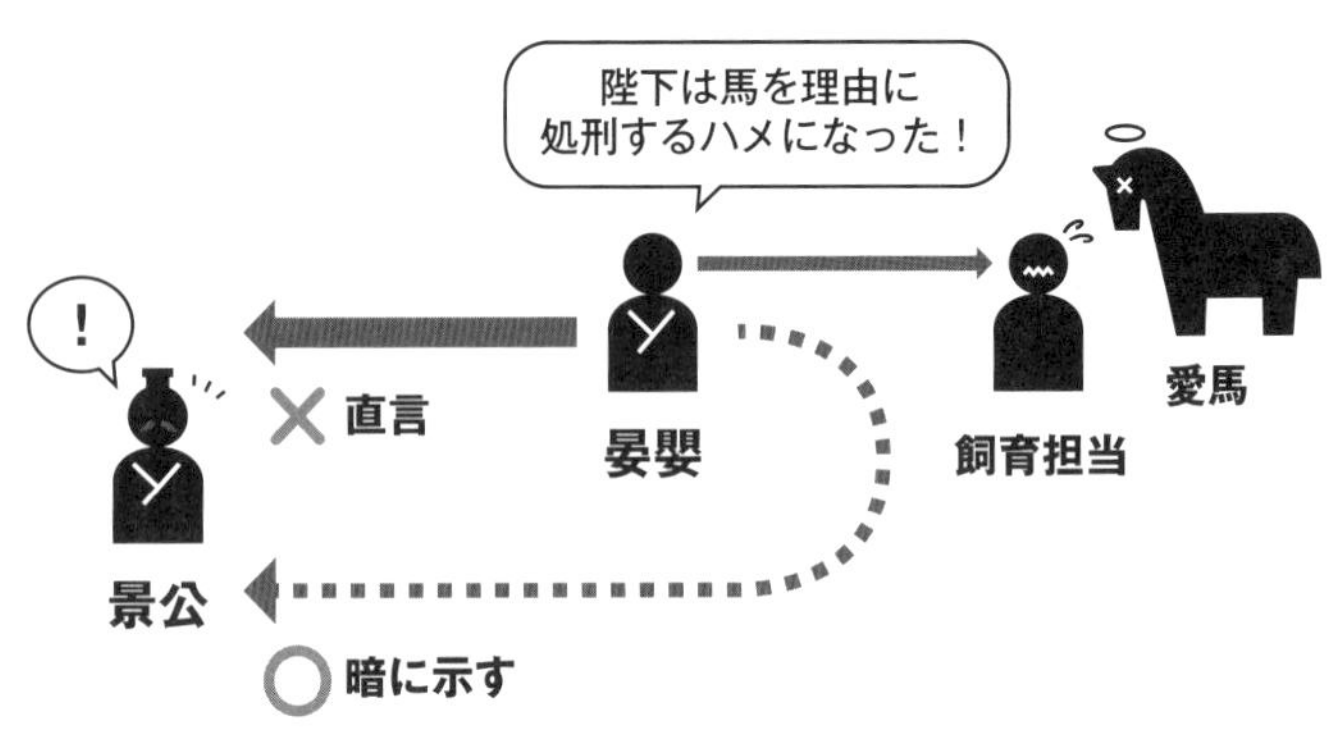

命を顧みず、暴君を説得する

自らの命を顧みず、大義のために君主を諫められる諫臣は稀有な存在だ。君主は生殺与奪をほしいままにする絶対権力者だから、周りは保身に汲々として阿諛追従に専念する佞臣ばかりになる。

一方、**感情を抑え、諫言を受け入れ、自らの過ちを改められる明主**も稀有の存在だ。快楽・嗜虐に溺れる暴君だけでなく、自分は誰よりも有能だと思い、一切の意見を聞かず、独断で事を運ぶ狭量な君主も多い。

だから**直言する諫臣と、それを受け入れる明主の故事は広く読まれる**。後出の『貞観政要』はその典型だ。ところが、『晏子春秋』の君主は明主ではない。むしろ暗君だ。

景公の愛馬が急死し、景公は飼育担当者の処刑を命じた。「陛下に代わり彼を責めましょう」と晏嬰。「おまえの罪は三つ。第一に、陛下の馬を殺したこと。第二に、陛下の最愛の馬だったこと。第三に、おまえのせいで陛下は馬を理由に人間を処刑するハメになったこと。この話が広まれば、民は我が君を怨み、隣国は我が国を軽んずるだろう。すべておまえのせいだ」と責めた。景公は「もうよい。彼を釈放せよ。わしの仁を損なうな」と嘆いた。

晏嬰は直言しない。飼育担当者を責めるフリをしながら、彼を処刑することで景公の評判がいかに傷つくかを暗に示す。景公に**直言を受け入れる度量はない**。だから晏嬰は**景公が自らその過ちを悟るよう仕向ける**。物価を問われて「踊が高く屨が安いです」と答えたのも同じ。屨は普通の靴、踊は刖者（足切りの刑を受けた者）の靴。後者の値が上がるのは、景公が仁政に反して足切りの刑を乱発しているから。景公はこの一言で悟り、刑を軽くしたという（雑下）。

この本のポイント

❶『晏子春秋』は、賢人晏嬰が知恵を尽くして暗君を教え導く故事を集めたもの。
❷晏嬰の巧みな説得術に注目。暴君上司を怒らせることなく操る技がそこにある。
❸簡便さを求めるなら明徳出版社版を。完全な口語訳を求めるなら明治書院版を。

26『戦国策』

劉向（りゅうきょう）

「蛇足」「虎の威を借る狐」「漁夫の利」。これらの寓話は、弱肉強食の時代に、国家存亡や自らの命を賭け、王侯将相を説得するため縦横家が繰り出したもの。口先だけで戦国の世を渡り歩く彼らの弁舌に酔いしれろ。

『戦国策』近藤光男／講談社学術文庫

文字量 難易度

劉向（前77〜前6）：前漢（前202〜後8）の人。宮廷図書館の管理人。全国から書物を集め、本文を校定し、解題目録を作成した。『戦国策』『列女伝』『説苑』『新序』はいずれも故事を採録したもの。中国古代故事文化の精華と言える。

戦国時代の主に縦横家の故事を集めたもの

そもそも「戦国時代」（前四〇三〜前二二一）という言葉は、この『戦国策』に由来する。**縦横家**とは、諸子百家の一つで、外交戦略の専門家。各国を遊説し、弁舌だけで大国を動かし、同盟関係を結ばせたり断ち切ったりした。国家や企業が結んだり離れたりすることを今でも「**合従連衡**（がっしょうれんこう）」というが、この言葉は彼らの活動に由来する。

主に縦横家たちの故事四八六章を集め、国ごとに三十三篇に編集して一書にまとめたのは、前漢の**劉向**。目録学の始祖で、『礼記』『列女伝』のところですでに紹介した人物だ。

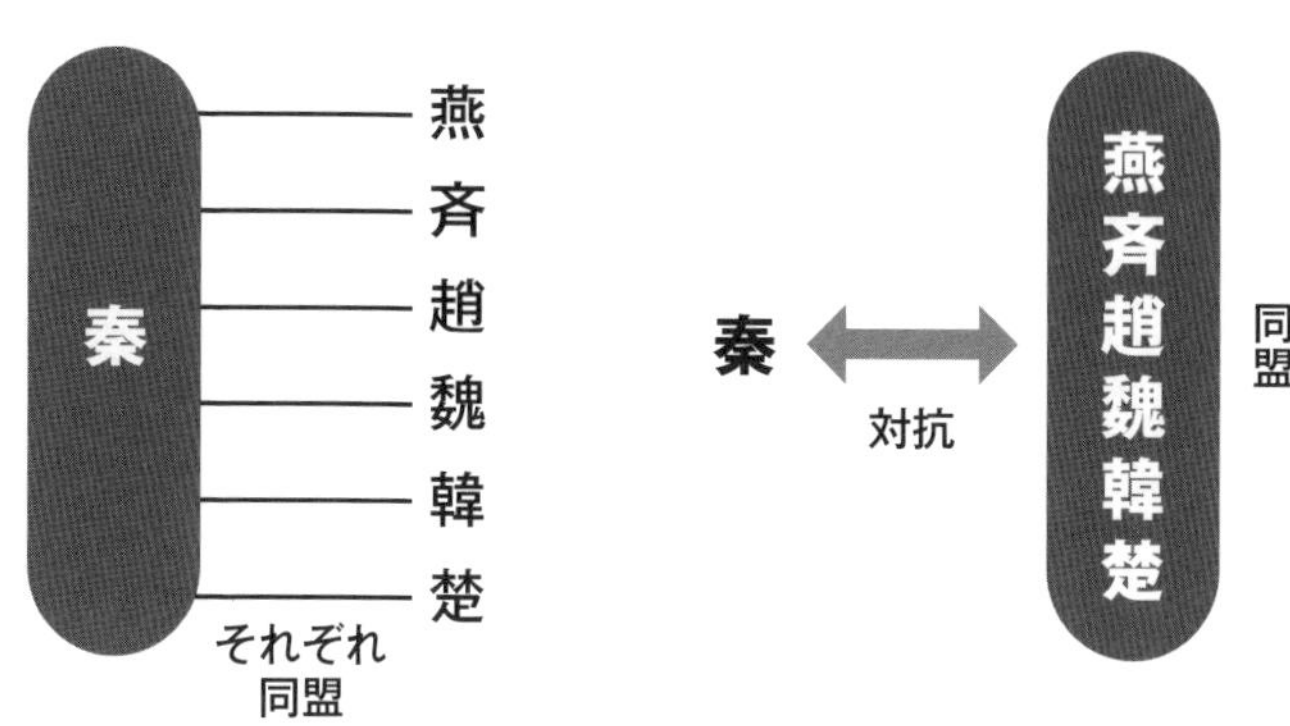

縦横家が活躍したころ、天下は「**戦国の七雄**」と呼ばれる燕・斉・趙・魏・韓・楚・秦の七大国が割拠しており、中でも西の**秦が頭一つ抜けて一強状態だった。**

秦以外の六国が同盟して秦に対抗するのが「**合従**」策で、主唱者は**蘇秦**（そしん）。一方、**六国それぞれが秦と同盟する**のが「**連衡**」策で、主唱者は**張儀**（ちょうぎ）。蘇秦と張儀は、ともに鬼谷（きこく）先生に学んだ兄弟弟子だった。

張儀が楚に遊説したとき、宰相の宝玉を盗んだ疑いでひどい拷問を受けた。満身創痍で帰宅後、あなたが遊説などしなければ、こんなことにならなったのに、と妻が嘆くと、張儀は「私の舌はあるか」と唐突にたずねて妻を笑わせた。彼女が「ありますよ」と答えると、張儀は言った。「なら十分だ」と。

戦国時代を彩る弁舌の士の詭弁に酔いしれろ

張儀の言葉には、「弁舌さえ振るえるなら十分だ。弁舌だけで天下を動かしてみせる」という自信が漲っている。

『戦国策』**の魅力は、弁舌だ。詭弁**と言っていい。陳軫は張儀とともに秦の恵文王に仕え、対楚外交を担当して頻繁に楚を訪れていた。張儀は出世の邪魔になる彼を排除しようと、**陳軫が王を裏切って楚に通じている**と吹き込んだ。**奴が楚に行きたがるなら亡き者にせよ**と。そこで「おまえを追放する。どこに行きたい」と王。陳軫が「楚です」と答えると、「やはり。張儀の予想通りだ。裏切りの証拠だ」「だからこそ楚に行くんです。もし私が楚で重用されれば、私が陛下を裏切っていない証拠となりますから」と陳軫は応じて次の話をした。

楚の某氏には二人の妻がいた。色男が彼女らを誘うと、年上のほうの妻は罵って拒み、年下のほうの妻は応じた。某氏が死に、誰かが色男に「もらうなら、どっちだ」と問うと、色男は「年上のほうさ」と即答。「誘いに応じた年下ではなく、あんたを拒んだ年上を選ぶのはどういう了見で」「そりゃ、人妻なら俺の誘いに応じてほしいもんだが、自分の妻なら、俺のために操を立てて、誘ってきた男を罵ってほしいからな」と言った。

誘いに応じた浮気女は、また浮気する。結婚するなら、誘いを拒んだ貞女がいい。同じく、**もし陳軫が秦を裏切る浮気女なら、楚はよほどの阿呆じゃない限り陳軫を重用しない**。重用するなら、それは**陳軫が秦を裏切っていなかった証拠**になる。「秦を追放されるなら、忠臣だと証明するためにも、楚に行くほかありません」。王は納得し、陳軫を引き留めて厚遇した。

このように、**『戦国策』は、寓話を駆使した説得術にあふれている**。

斉の鄒忌（すうき）は美貌の宰相。同じく美貌と噂の徐公と自分、どちらが上か気になって仕方ない。そこでたずねると、みな「鄒忌さまが上です」と答える。ところが、実際に徐公の美貌を目にすると、自分ははるかに劣っていた。みな、おもねって嘘をついていたらしい。この話から、威王に「陛下の周りも同じです。嘘ばかりで、目隠しされているようなものです」と言い、納得した威王は**自分の過ちを非難した者に賞を与えると政令を下した**。はじめは王を非難する者で門前市を成すありさまだったが、一年後には非難したくても非難できなくなったという。

この本のポイント

❶『戦国策』は弁舌の士の活躍を集めたもの。その多彩な詭弁を楽しみ学ぶべし。

❷漢代の墓から、『戦国策』と同じ内容の「戦国縦横家書」も実は出土している。

❸講談社版は抄訳。東洋文庫版は全訳でも訳のみ。明治書院版はもろもろ完備。

27『呂氏春秋』

呂不韋とその食客たち

『呂氏春秋』町田三郎／講談社学術文庫

儒家、道家、墨家、法家、陰陽家……戦国を彩る諸子百家たち。「そのすべてをここに置いてきた！」と自負するのが、雑家の『呂氏春秋』だ。秦の宰相が、来る天下統一に備え、ありとあらゆる学術を総合した驚異の書物だ。

呂不韋（?～前235）：戦国時代（前403～前221）の商人。趙で人質となっていた秦の公子と出会い、「奇貨居くべし」と投資を決断。手を尽くして秦王に擁立した。これが荘襄王で、その子が始皇帝。呂不韋は宰相として権貴を極めた。

文字量 

難易度   

『呂氏春秋』は知の百科全書

「呂氏」とは、この書を編纂させた人物、呂不韋を指す。

呂不韋は、戦国時代末期の大商人。趙に半ば追放されていた、秦の昭王の孫子楚と出会った。次期秦王になる見込みはないに等しかったが、「**奇貨居くべし**（今は使えなくとも、値打ち物は手元に置くべきだ）」と言い、あの手この手を尽くして秦王に擁立した。これが荘襄王であり、その子がのちの始皇帝だ。**呂不韋は、商人出身でありながら宰相に昇りつめた。**封建的な身分制度が崩れた戦国時代とはいえ、庶人の身で宰相になるのは稀有な例だ。

呂氏春秋の構造

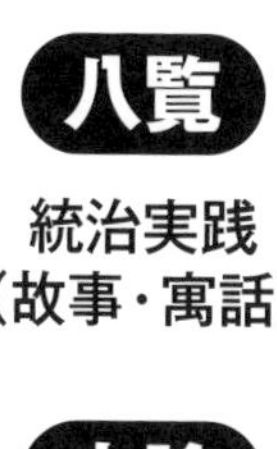

呂不韋は、天下から人材を秦に集め、客分として厚遇し、「食客三千人」と称えられた。これは、同じく「食客三千人」と称えられた「**戦国の四君**」——斉の孟嘗君、魏の信陵君、趙の平原君。楚の春申君に対抗したもので、当時、西方辺境の秦は、戦国最強の国家でありながら、人材は中原（中国の中心。河南省付近）に集中する、という状況をくつがえしたかった。

呂不韋は、食客の総力を結集して「二十余万言」に及ぶ論文を書き上げさせ、これらを一書に編集し、『呂氏春秋』と名づけた。「**天地万物古今の事を備えたり**」と自負し、首都咸陽の市場の門に掲げて、「**一字でも添削できたものには千金を与える**」と喧伝した。もちろん応ずる者は誰もいなかった。

最大の特徴は時令思想

『呂氏春秋』は、**十二紀・八覧・六論**で構成されている。

十二紀は、一年を十二の時節に分け、時節ごとにその特性と行うべき政務・儀式を記したものだ。**季節運行のリズムと人間の営みを一致させることで宇宙の秩序と調和がもたらされるという思想**を「**時令思想**」と呼ぶ。もとは農業を念頭に、季節に合わせて人間の営みを定めるところからはじまった。農繁期に農民を戦争に駆り出すわけにはいかない。自然と、戦争は収穫後の農閑期に、という話になる。ここに**陰陽五行説**（宇宙万物の理を陰陽の二気と木・火・土・金・水の五行の運行で説明する学説）と**天人相関説**が結びついて生まれたのが時令思想だ。

『呂氏春秋』の十二紀は、この時令思想の書である。春・夏・秋・冬の「**四時**」をそれぞれ「**孟**（はじめ）」「**仲**（まんなか）」「**季**（おわり）」に三分するから四×三＝十二紀。春なら「孟春」「仲春」「季春」となる。で、たとえば、孟春紀の冒頭はこんな感じだ。

★是の月や、立春なるを以て、立春に先立つ三日、太史之を天子に謁げて曰わく、「某日立春、盛徳木に在り」と。天子乃ち斎す。立春の日、天子親ら三公・九卿・諸侯・大夫を率いて、以て春を東郊に迎え、還りて、乃ち公卿・諸侯・大夫を朝に賞す。

★（この月は立春に入る。立春に先立つこと三日、太史はその旨を天子に告げる。その辞に「某日が立春です。天の生育の徳は、木の位にあります」という。天子は三日の間斎戒する。立春の当日には、天子はみずから三公・九卿・諸侯・大夫を引きつれて、東の郊外に出て迎春の儀式を行い、王城へ帰ってから公・卿・諸侯・大夫に賞を与える）

これが「**月令**（がつりょう）」。**その月にしなければならない政務や儀式**である。孟春紀だけでなく、十二紀の各紀の冒頭は、いずれもその月の「月令」だ。面白いのは、「**天子」の月令である**点。天子とは、**天命を受けて天下を統治する存在**。『呂氏春秋』が編纂されたとき、まだ天下は戦乱の中にあって天子はいなかった。呂不韋は、秦が天下を統一したときに備え、天子＝皇帝の従うべき月令をまとめ、この月令を軸に**天下統治に役立つあらゆる思想を集大成**した。

故事・寓話を交えて統治実践を述べた**八覧**、その補説の**六論**を加え、知の宇宙は完成する。

この本のポイント

❶『呂氏春秋』は、「天地万物古今の事」を総覧できる知の百科全書。
❷統一後に備え、天子の月令を軸にあらゆる思想を集大成した「雑家」の書。
❸講談社版は十二紀のみ。「知音」「刻舟」「掣肘」の故事を見るなら明治書院版を。

28『淮南子』

淮南王劉安とその食客たち

謀反の疑いをかけられた父が自殺したのち、幼少で淮南王に即位した劉安。反乱の機会を虎視眈々と狙いながら、学芸を愛好し、数千人の学士とともに、老荘思想にもとづく思想の統合を試み、儒法を尊崇する武帝に挑んだ。

『新釈漢文大系 淮南子』(上/中/下)楠山春樹/明治書院

淮南王劉安(?～前122):前漢(前202～後8)の人。皇族。諸侯王の一人。読書と琴を好み、賦の名手。彼のもとに学者が数千人も集まった。反乱の機会を狙い、呉楚七国の乱にも呼応しようとした。武帝に対する謀反計画が発覚して自殺。

文字量

難易度

雑家による知の百科全書

『呂氏春秋』に続いて雑家の書『淮南子』を紹介する。

雑家は、字面的に「雑学」「雑多」な感じがしてイメージは悪いけれど、**知の百科全書**と言えば、聞こえがいい。『淮南子』は全二十一篇。万物の原理にはじまり、天文、地理、時令を語り、人生、世相、政治、軍略、習俗、神話、伝説、本草など、さまざまな知を集積する。

編纂したのは淮南王劉安。漢の初代皇帝劉邦の孫で、淮南(現在の安徽省・江蘇省あたり)の王。王自身、学識の人として知られ、賓客や方術の士数千人と議論し、この書を編纂した。

呂氏春秋と淮南子の関係

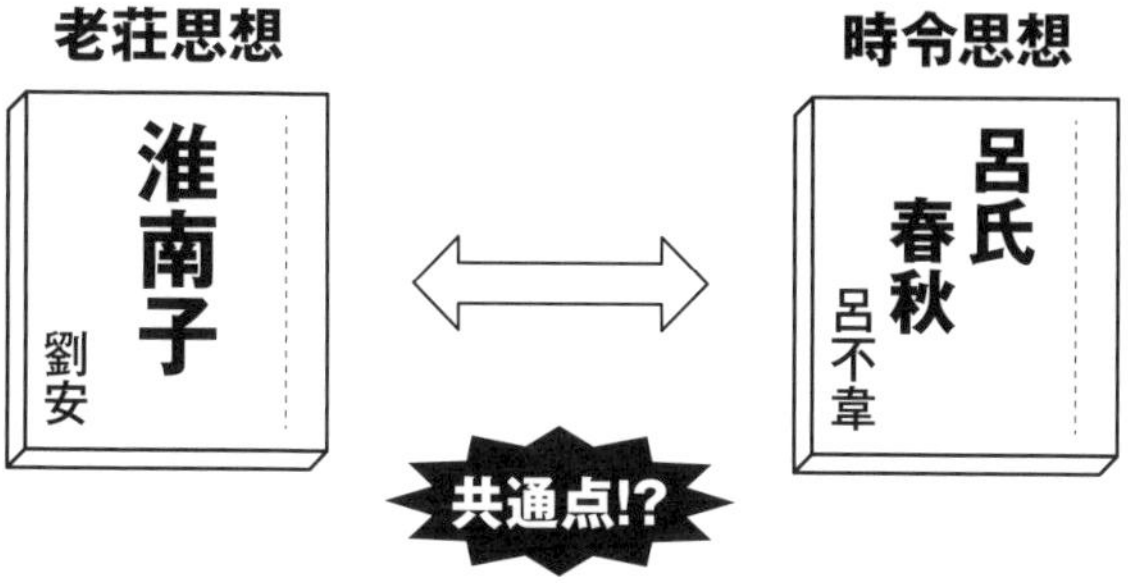

老荘思想　　時令思想

淮南子　劉安　⇔　呂氏春秋　呂不韋

共通点!?

・目的は思想統一
・皇帝に献上
・編纂者は死に追い込まれた

呂不韋と劉安は似たもの同士

戦国時代の末期に、呂不韋は、辺境の秦にあって学者を三千人も集め、あらゆる知を総覧できる『呂氏春秋』をつくり上げ、すべての知がここにある、と自負した。

それからおよそ一世紀後。劉安も、辺境の淮南にあって学者を数千人も集め、あらゆる知を総覧できる『淮南子』をつくり上げて時の皇帝武帝(ぶてい)に献上した。**武帝は劉安を尊崇し、『淮南子』を愛蔵**したという。

ところが、劉安はその武帝に対する謀反を企て、事が発覚して自殺する。呂不韋も、始皇帝の母と密通し、嫪毐(ろうあい)の乱にも関係して、宰相を罷免されて自殺しているから、二人はこんなところも似たもの同士だ。

「老荘思想」を軸に思想を統合

『呂氏春秋』の軸は時令思想だったが、**『淮南子』の軸は老荘思想**だ。

理由の一つは、淮南が荊楚（長江中流域。湖北・湖南省一帯）の文化圏にあったこと。荊楚は老子・荘子の出身地で、老荘思想の本場だ。もう一つは、そもそも**漢初には黄老思想が流行していたこと**。武帝が董仲舒の建策を受けて儒教を国教化するまでは、老荘思想と法家思想が支配的なイデオロギーだった。

『淮南子』の最初の二篇は、原道訓と俶真訓である。老子の「道」と荘子の「真」からはじめている。たとえば、原道訓の冒頭は次の通り。この意味不明さを見れば、**ああ、老荘思想だな、**と実感できるはずだ。

★夫れ道は、天を覆い地を載せ、四方に廓り、八極に柝け、高きこと際む可からず、深きこと測る可からず。天地を包裹し、無形に稟授す。（原道）

★（まことに道は、〔万物を覆う〕天をも覆い、〔万物を載せる〕地をも載せるものであって、〔横には〕四方八方の無限が広がり、〔縦には〕その高さをきわめることも、その深さをはかることもできない。天地をその中に包容し、無形〔の万物〕に形をあたえる）

儒家や墨家や法家の思想も出てくるけれど、老荘思想のもと統合されている。呂不韋が時令思想を軸にあらゆる思想をまとめたように、**劉安も老荘思想を軸にあらゆる思想を統合して武帝に献上した**。そして武帝は劉安の老荘思想ではなく董仲舒の儒学を選んだわけだ。

ほかに『淮南子』は、神話を多く採録することでも知られる。以下、中国の河川がどれもこれも東流する理由を説明した神話だ。これを紹介してこの項の結びとしよう。

★昔、共工は顓頊と帝為らんことを争い、怒りて不周の山に触る。天柱折れ、地維絶え、天は西北に傾く。故に日月星辰移る。地は東南に満たず、故に水潦塵埃帰す。

(昔、共工は顓頊と帝王の地位を争い、激怒して不周山にぶつかった。天を支える柱は折れ、天と地をつなぐ綱は断ち切れてしまった。天は西北に傾き、ゆえに日月・星辰西北に移り、地は東南が落ち込み、そのせいで雨水・塵埃は東南の方向に溜まるようになった)

この本のポイント

❶『淮南子』は劉安が老荘思想を軸に天地万象を論じた知の百科全書。
❷劉安はおそらく老荘による思想統一を目指したが、武帝が選んだのは儒学だった。
❸講談社版も明治書院版も、原文・書き下し文・語注など完備。ただ前者は抄訳。

29『貞観政要』

呉競

北条政子、徳川家康、明治天皇も学んだという帝王学の書。ビジネスリーダー必読の書として今も読み継がれる。中国史上屈指の名君太宗と四十五人の名臣による二百五十八章の故事から、理想のリーダー像を学べ。

『貞観政要』守屋洋 訳/ちくま学芸文庫

文字量 難易度

呉競(670〜749):唐(618〜907)の人。唐を代表する歴史家。この書の主人公たる太宗(在位626〜649)は、中国史上屈指の名君であり、彼の治世は、年号から「貞観の治」と呼ばれ、理想の時代として後世まで語り継がれた。

ビジネスリーダー必読の書

『貞観政要』には理想の君臣関係が描かれている。

同じく君臣関係を描く『晏子春秋』は、賢臣晏嬰の活躍に主眼があり、**部下として愚かな上司にいかに向き合うか**を学べる一書だった。一方、『貞観政要』は、明主**太宗**の活躍に主眼があり、**上司としていかにふるまうか**を学べる一書だ。徳川家康は歴史書『吾妻鏡』とともに『貞観政要』を愛読したというが、ビジネスリーダーとして**人の上に立つ人間が学ぶべき中国古典の第一は、この『貞観政要』だろう。**

貞観政要と晏子春秋

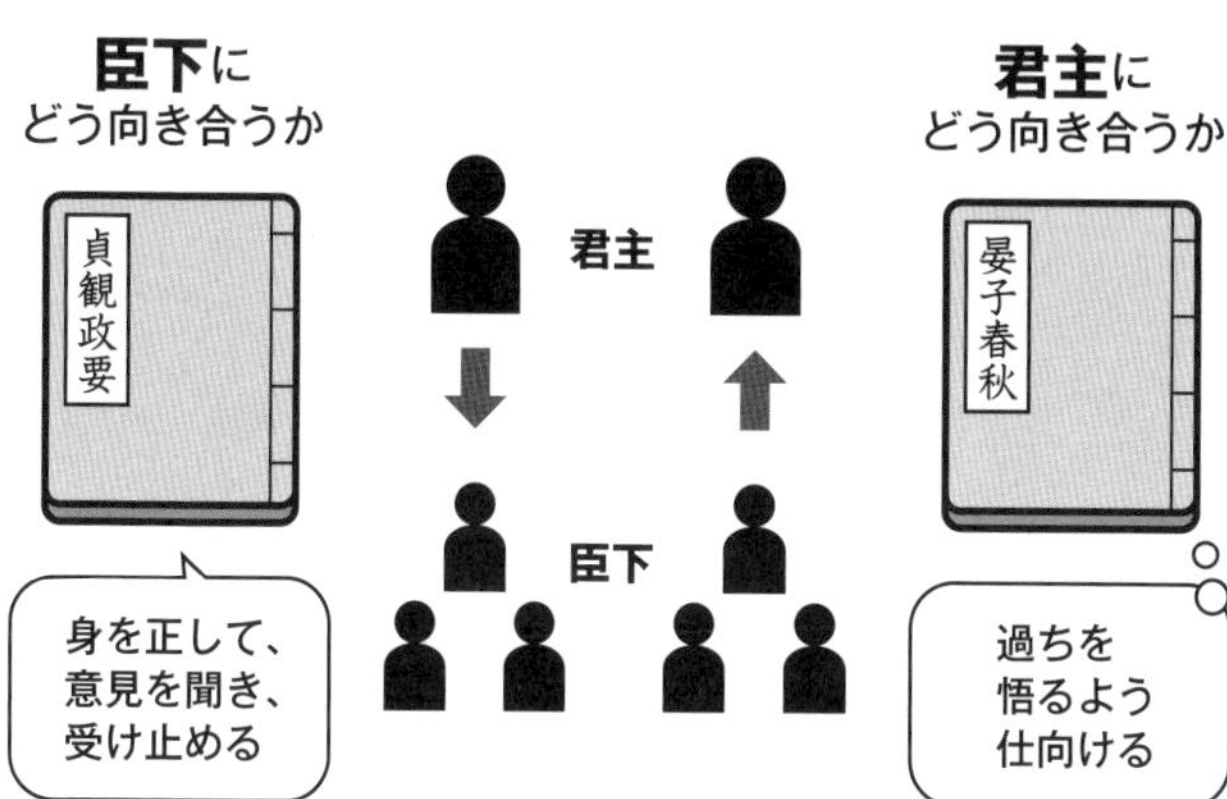

太宗とその綺羅星のごとき臣下たち

太宗李世民は、唐の第二代皇帝。初代皇帝高祖李淵の次男で、兄と弟を殺し、父を軟禁して皇帝に即位した。こう聞くと、暴君感がすごいけれど、唐建国の立役者であり、建国まもない唐帝国に安定をもたらし、その礎を築いた名君だ。

『貞観政要』は、その太宗と、魏徴、房玄齢、杜如晦ら四十五人の臣下との問答を中心に、太宗の詔勅や臣下の上奏文などで構成されている。

書名の「貞観」は、太宗の年号であり、彼の治世は、**史上最も理想的な時代**として「**貞観の治**」と呼ばれる。「○○の治」と呼ばれる事例は数えるほどしかない。

それでは、実際に中身を見てみよう。まずは冒頭から。

★君たるの道は必ずすべからく先ず百姓を存すべし。もし百姓を損じてもってその身に奉ずれば、なお脛を割きてもって腹に啖わすがごとし。腹飽きて身斃る。（君道）

★（君主たる者はなによりもまず人民の生活の安定を心掛けねばならない。人民を搾取して贅沢な生活にふけるのは、あたかも自分の股の肉を切り取って食らうようなもの、満腹したときには体のほうがまいってしまう）

だから、君主は身を正さなければならない、と、なんと太宗自らが言う。君主が悦楽をほしいままにすれば、それだけ人民の負担は大きくなる。それは**自分で自分の肉を食って腹を満たすようなもの**で、自滅の道である。だから**君主がまず節制しなければならない**と。

『晏子春秋』なら、悦楽を貪ろうとする景公を晏嬰が巧みな話術で諫める展開になるけれど、『貞観政要』の場合は、太宗が自ら言う。そしてそれを読む僕たちは、リーダーが欲望のおもむくまま贅沢してはいけない、会社の経費を使うならなおさらだ、**一晩で四十万円も使って夜のお店で飲み食いし**、**交際費として落とすなどもってのほか**、公園の水道水と手づくりおにぎりで満足しなければならない、と自戒することになる。

★太宗、魏徴に問いて曰く、「何をか謂いて明君、暗君となす」。徴曰く、「君の明らかなる所以の者は、兼聴すればなり。その暗き所以の者は、偏信すればなり」（君道）

★（太宗が魏徴にたずねた。「明君と暗君のちがいはどこにあるのか」。魏徴が答えるには、「明君の明君たるゆえんは広く臣下の進言に耳を傾けることであります。また、暗君の暗君たるゆえんは、お気に入りの臣下のことばだけしか信じないことであります」）

明君の条件は「広く意見を聞くこと」。庶民の声にも耳を傾けろと魏徴は言う。一方、暗君の条件は「お気に入りだけを信じること」。だから、**臣下は君主に直言しなければならないし、君主は広い度量でそれを受け止めなければならない**、と『貞観政要』は説く。

このように、リーダーたる者がどうふるまうべきか、部下たちとどういう関係を結ぶか、という知恵にあふれている。短い故事の連続なので、気になる篇から気軽に読めばいい。

この本のポイント

❶『貞観政要』は、理想の君臣関係を描く帝王学の教科書。リーダー必読だ。

❷独立した短編故事の集まりなので、目次を見て好きなところから読めばいい。

❸ちくま版は抄訳。全訳なら講談社か明治書院。ただし前者に書き下しはない。

30『宋名臣言行録』

朱熹

明治天皇も学ばれた『宋名臣言行録』。出口治明氏も「ビジネスのすべてのエッセンスが含まれる」と推薦する。北宋は中国史上すぐれた文人を最も輩出した時代で、彼らの言行を学べる本書は中国古典入門として最適の一書だ。

『宋名臣言行録』梅原郁 編訳／ちくま学芸文庫

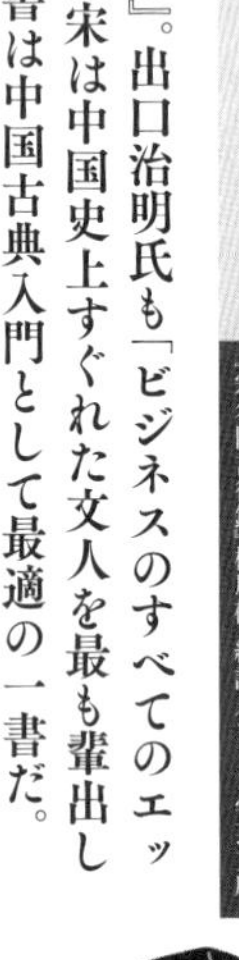

朱熹（1130～1200）：南宋（1127～1279）の人。朱子学の大成者。論敵の陳亮が歴史上の人物を「跡（功業・結果）」で評価すべきだと主張したのに対し、朱熹は、「心（内面・動機）」で評価すべきだと主張した。

北宋の名臣たちの言行録

『宋名臣言行録』は、正しくは『五朝名臣言行録』『三朝名臣言行録』といい、この二つをまとめて俗に『宋名臣言行録』と呼ぶ。あの**朱熹**が編纂したものだが、思想性はない。

五朝とは、北宋の太祖・太宗・真宗・仁宗・英宗の五人の皇帝を、三朝とは、神宗・哲宗・徽宗の三人の皇帝を指す。**北宋は名臣を輩出した時代**で、特に仁宗の治世には、范仲淹、韓琦、欧陽脩ら〝慶暦アベンジャーズ〟が一堂に会し、後世、「慶暦の治」と呼ばれて理想の時代として懐古された。**「貞観の治」が名君の時代なら、「慶暦の治」は名臣の時代**だ。

★公少くして大節あり。その富貴貧賤、毀誉歓戚においては、一としてその心を動かさず。慨然として志を天下に有す。常にみずから誦して曰く、「士はまさに天下の憂に先んじて憂い、天下の楽に後れて楽しむべきなり」と。その上に事え人を遇するにもっぱら自から信じるをもってし、利害を択びて趨捨をなさず。

★（范仲淹は年少の頃から確立した自己を持ち、富貴貧賤とか毀誉褒貶などにまったく左右されなかった。天下国家のことを深く心におもい、いつも「士たる者は天下の憂みに先んじて憂み、天下の楽しみに後れて楽しむべきである」とくりかえし話していた。天子につかえ人に対する場合でもみずから信じるところを貫き、利害によって左右されなかった）

まずは〝慶暦アベンジャーズ〟のアイアンマンこと**范仲淹**の言葉。

自分の損得など考えない。他人からどう言われようが、気にしない。ただ天下万民を思って心念を貫く。彼の言葉「**天下の憂に先んじて憂い、天下の楽に後れて楽しむ**」は、為政者の心がまえを説く名言であり、東京や岡山に「**後楽園**」という名の庭園が生まれたほど。

こんな立派すぎる言行が九十九人分、計一九八〇条並ぶ。今回取り上げた梅原郁編訳のちくま学芸文庫は、そのうち九十六人一七三条、約十分の一を紹介してくれる。全部に目を通したいという人もいると思うけれど、**読みどころだけを読めるのは抄訳の魅力**だ。

『宋名臣言行録』の成り立ち

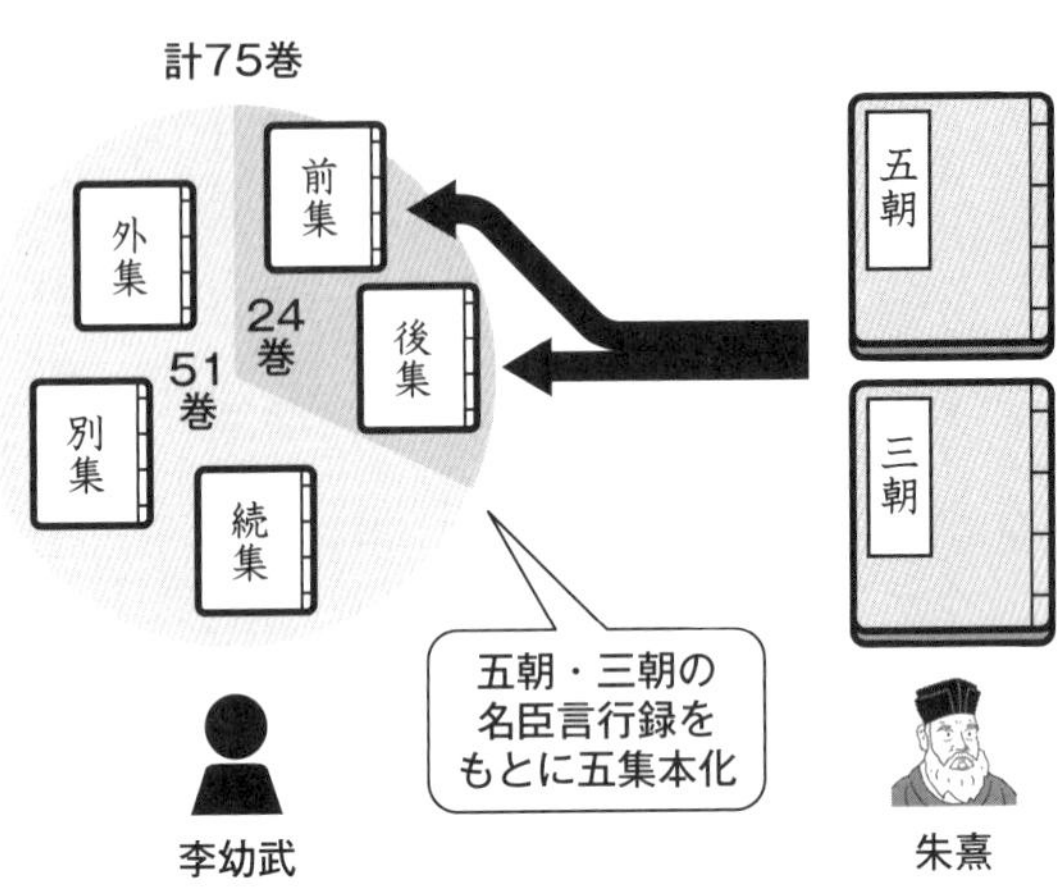

朱熹が編纂したのは三分の一

朱熹が実は**かなりのやっつけで五朝・三朝の名臣言行録を編纂した**あと（朱熹自ら手紙で「急いで出版したのはまずかった」と述懐している）、南宋末に李幼武（りようぶ）が手を加えて、前集・後集・続集・別集・外集、計七十五巻の五集本をつくった。中国で『宋名臣言行録』といった場合はこちら。

このうち**前集・後集の計二十四巻が朱熹の手に成る部分**で、巻数から言えば、全体の三分の一に過ぎない。ところが、日本では、この前集・後集だけの『宋名臣言行録』が多くつくられ、人々によく読まれたそうだ。朱熹のネームバリューのゆえだろう。たしかに、「李幼武って誰？」と思ってしまう。

学びにあふれる名臣九十六人の逸話

それでは、次に〝慶暦アベンジャーズ〟のキャプテンアメリカこと**欧陽脩**の言葉を。

首都開封の長官に就任した欧陽脩は、シンプルな政治に努め、名声も求めず、まあ、のんびりやっていた。前任の**包拯**（ほうじょう）は、厳しく部下を統御し、その名声は都中に鳴り響いていたから、もっと包拯を見習ってちゃんとやれと欧陽脩を叱咤した者がいた。欧陽脩は言う。

★およそ人の材性一ならず。その長ずる所を用うれば事挙がらざるなきも、その短ずる所を強（し）うれば、勢い必ず逮（およ）ばざらん。吾もまた吾の長ずる所に任ずるのみ。

★（そもそも人の才能や性質はさまざまである。長所を利用すれば物事はやってゆけるものだ。無理に短所を持出すと、まずうまくゆかぬのは必定。わしはやはりわしの長所を使うだけだ）

包拯は中国史上最も有名な名探偵で、レジェンド。その後任は、どうしても彼と比べられる。ここで偉大すぎる前任者と無理に同じことをしようとすれば、どうしたってうまくいかない。だから自分が得意とすることをするだけだという。偉大な先輩のあとを引き継いだ若手に教えてあげたい言葉だ。**およそ人の材性は一ならず、君は君の長ずる所に任じなさい**と。

今度は〝慶暦アベンジャーズ〟のハルクこと**韓琦**の言葉を。

★その成徳に及びては、受くる所あるもまた害わざる所の者あり。

★（〔徳が〕できあがった段階になると、汚れを受けてもそこなうことがなくなってくる）

立派な人物という確固たる評判がいったんできあがると、多少ダメなことをしても、その評判はなかなか覆せなくなる。だから、**評判ができあがるまでは、慎重に、慎重に、修身につとめるべき**だ、という言葉。

北宋の朝廷に丁謂と寇準がいた。二人とも政府の中心人物だ。ところが、★「何か善いことがあればそれは必ずしも準から出たものではないのに、すべて寇準のおかげとされた。何か悪いことがあれば、必ずしも丁謂のせいではないのに、すべて彼に罪を帰せられた」（三朝名臣言行録）と韓琦は言い、だから★「**身を修め誠意を涵養しておく心がけは怠ってはならない**」（同）と結ぶ。

いったん悪い評判ができてしまうと、それがひとり歩きしてしまい、この思い込みを覆すのは難しくなる。だから悪い評判ができないように慎重にふるまわなければならない。先の言葉に通ずるものがある。軽率な発言で自ら評判を落としにいく政治家にぜひ読ませたい。

彼ら以外にも、この本に出てくる九十六人すべてが名臣であり、学びどころがある。

僕のオススメは、趙普、呂蒙正、王旦、寇準、包拯、富弼、王安石、司馬光、曽鞏、蘇軾、蘇轍。まあ、キリがない。范仲淹、欧陽脩、韓琦のほか、このあたりが北宋を代表する名臣である。建国の功臣**趙普**はもっと知られていいし、百二十年の平和を築いた**寇準**は高校世界史の教科書に載せるレベル。**呂蒙正**や**王旦**の器の大きさは見習いたいと常々思う。

呂蒙正は若くして副宰相に大抜擢された。朝見の際、御簾に隠れて「あんなガキが副宰相とはな」と聞こえるように罵った朝臣がいた。呂蒙正は聞こえなかったフリをしたが、怒った同僚が「いま暴言を吐いた奴は誰だ！」と姓名を問いただそうとした。呂蒙正はそれを止め、朝見の後、「僕は一度名前を知ったら、一生忘れられなくなるんです。だったら知らないほうがマシですよね。それに**彼の名前を聞かなくたって何の損もないですし**」と言って、怒ってくれた同僚をなだめた。みなその度量に感服したという。

王旦は、寇準を推挙して宰相にした。ところが、寇準は真宗皇帝の前で幾度も王旦を誹謗した。一方、王旦は寇準を褒めるばかり。ある日、真宗が「そなたは寇準を褒めるが、あちらはそなたの悪口ばかり口にしておるぞ」と教えると、王旦は「理として当然でございます。私の方が宰相に就任して長いですから、政治の失敗もきっと多いことでしょう。寇準は（私が恩人だからといって）陛下に隠し立てせず、率直に言葉にしているのです。これこそ私が彼を重用する理由です」と答えた。真宗はますます王旦を賢人だと評価したという。

寇準は、**剛直な性格で直言を好み、彼が宮殿にのぼると百官は震え上がった**という。契丹が大軍を率いて宋に南下し、澶淵に至ったとき、一晩で五通もの急報が届いたが、寇準は開きもせず、いつもと同じく酒を飲んで談笑していた。翌日、同僚が真宗に報告。驚いた真宗が開かせると、どれも急を告げるものばかり。寇準は「陛下はこの事態を終わらせたいですか」とたずねた。真宗が「このような国家の危機、長引かせたいわけはなかろう」と答えると、寇準は「陛下が終わらせたいのであれば、五日もかかりません。陛下には澶淵に御幸していただきます」と告げた。真宗は黙り込み、同僚は恐れて逃げ出そうとする始末。寇準はそんな同僚たちに「止まれ！　そなたらも陛下とともに戦場に行くのだ」と一喝。こうして真宗は親征に踏み切り、「澶淵の盟」という歴史的な和平を結ぶことに成功した。

このような言葉や逸話が次々と出てくる。人としてどうふるまうべきか。学ぶものは多い。もちろん歴史好きの人は大いに楽しめるだろう。

この本のポイント

- ❶『宋名臣言行録』は、宋の立派すぎる名臣たちの言行録。
- ❷人としてどうふるまうべきかの知恵にあふれる、ビジネスマン必読の古典だ。
- ❸ちくま学芸文庫の抄訳しかないけれど十分。有名どころから拾い読みしちゃおう。

第4章

過去をどう見るか

「エリートの必須教養」と言われた10冊

31『書経』

孔子(編)、梅賾(偽作)

韓愈が「読みづらい」と評し、朱熹も「無理にわかろうとしなくてよい」と言う『書経』は、堯・舜・禹・湯王・文王・武王・周公旦といった古代の帝王の言葉を記録したもの。統治の理念を学べるビジネスリーダー必読の書。

『書経 ビギナーズ・クラシックス 中国の古典』山口謠司/角川ソフィア文庫

文字量

難易度

孔子(前552?～前479)は、五経には何らかの形で関わっているが、伝説の類。偽古文尚書の梅賾は東晋(317～420)の人。官名(豫章内史)以外は不明。現在、戦国時代の『書経』のテキスト(清華簡)が見つかっている。

いにしえの帝王たちの言葉

『書経』は「五経」の一つ。「五経」とは、儒家の尊崇する(ってことは、東洋の知識人みんなが尊崇する)五つの経典で、そのうち『易経』『詩経』『礼記』については第2章で扱った。この章では、残りの二つ、『書経』と『春秋』を扱う。それでは、まず『書経』から。

『書経』は驚くことに、初めは単に『書』と呼ばれていた。やがて『尚書』と呼ばれるようになり、ずいぶん後(十六世紀。なんと明代)になってから、『書経』という名前が定着した。本によってどちらも使われるけれど、**『尚書』も『書経』も同じもの**だ。

『書経』には、いにしえの帝王であり聖人である**堯・舜・禹**に始まり、**夏・殷・周三代の王たちの言葉**が記録されている。『漢書』によれば、帝王の行動の記録を『春秋』と呼び、帝王の言葉の記録を『尚書』と呼んだという。たとえば、こんな感じ。

★后克く厥の后たるを艱しとし、臣克く厥の臣たるを艱しとすれば、政乃ち乂まり、黎民徳に敏ならん（大禹謨）

★（君主が君主たることのむずかしさを知り、臣下は臣の務めの困難さを知り、それぞれが自己の任務に励めば、政治はうまく治まり、人々もその感化を受けて徳に敏感になりましょう）

これは臣下の禹が主君の舜に語った言葉だ。のち舜は帝王の地位を、自分の子ではなく、この禹に譲る（これを**禅譲**という）。それほどに禹を高く評価した。

禹はここで主君の舜に、「君主は君主の、臣下は臣下の困難さを知って、はじめて政治はうまくいくもんですね」と語った。舜は「その通り」と同意する。僕たちは仕事に慣れてくると、簡単に感じるようになる。手を抜かないまでも、これまで通りにやればよいと惰性で仕事してしまう。それではダメだと『書経』は教えてくれる。自分に与えられた仕事を難しいと感じないようでは、よい仕事はできないぞと。こうした金言にあふれているのが『書経』だ。

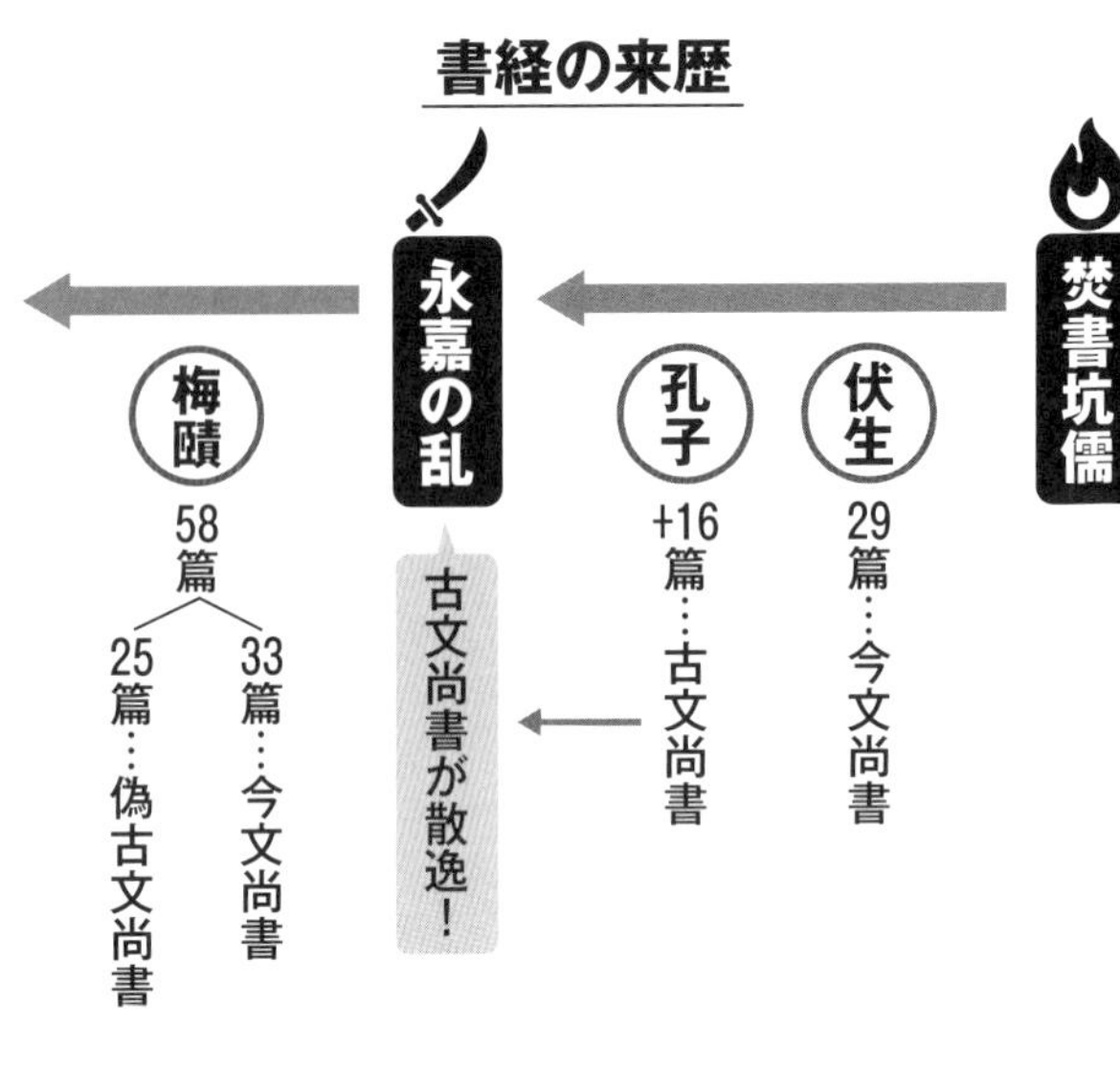

『書経』の出自はあやしい

『書経』にも孔子の手が加わっている。上古の史官が残した三千余篇の記録から、**孔子が百篇を選んで編纂**したという。孔子が選んだ以上、そこには**孔子が選ぶだけの何か**がある。それを読み解くことで、天下統治の普遍的法則を知ることができると儒家は考えた。

　これは後づけの伝説にすぎないけれど、『論語』に「先生（孔子）が雅言したのは、『詩経』と『書経』」（述而）とあり、『墨子』『孟子』『荀子』なども『書経』を引用するから、春秋戦国時代には広く読まれていたらしい。

　現在は百篇のうち五八篇が伝わっている。でも、問題がある。**偽作が多く含まれているる**というのだ。

秦の始皇帝は、医学・農学・占いなどの実用書を除く書物を焼き払い、儒者を穴埋めにした。悪名高い**焚書坑儒**だ。このとき、『書経』も焼却処分の対象になった。でも、魯の伏生という儒者が壁に塗り込めて隠し、これをやり過ごした。おかげで全体の三分の一弱にあたる二九篇が生き残った。これを**『今文尚書』**と呼ぶ。当時の文字＝今文で書かれたからだ。

その後、前漢の武帝のころ、魯の恭王が宮殿を広げるために**孔子の旧宅を破壊**した（なんてことを！）。すると、壁の中から『書経』が出てきた。こちらは**『古文尚書』**と呼ぶ。秦以前の古い文字＝古文で書かれていたからだ。『今文尚書』より十六篇多かったという。これで四五篇。半分近くになった。

ところが、晋末の永嘉の乱（四世紀初め）で**散逸してしまった**（なんてこった！）。でも安心を。乱のあと、梅賾という詳細不明の人物が、**どこからともなく『古文尚書』五八篇を見つけ出してきて皇帝に献上した**。そのうち三三篇は『今文尚書』と同じ内容のもの（一部の篇を二つに分けたりして二九篇を三三篇に）。残り二五篇はこれまで知られていないものだった。

いま僕たちが『書経』といった場合、この梅賾の五八篇本を指す。これで一件落着……のはずだったけれど、時代が下り、あの朱子をはじめ、みなが「変だ、変だ」と言い出し、最後は閻若璩という大学者が「二五篇は偽作」と証明してしまった。この二五篇は、不名誉なことに、**「偽古文尚書」**と呼ばれている。

真贋が気になる人は、今文尚書系統の三三篇（これを**『真古文尚書』**と呼ぶ）を読めばいい。明治書院版では、上巻が『真古文尚書』、下巻が『偽古文尚書』に分けられているから、都合がいい。

しかし『偽古文尚書』も、東晋以来、千五百年以上も読み継がれてきたのだから、十分に古典の資格がある。たとえば、冒頭で取り上げた一節は「大禹謨」のもので、これは『偽古文尚書』の章だ。朱子が大事にした一節★「**人心惟れ危く、道心惟れ微なり。惟れ精、惟れ一、允に厥の中を執れ**★（人の心というものは、とても不安定で、道の心はまことに見えにくく捉えがたい。だから、お前は、心を純粋に、専一にして、中庸の道を執り行わなければなりませんよ）」も、元号「平成」の典拠となった「**地平らかに天成る**（天も地もおだやか）」も、同じ「大禹謨」の一節だ。偽書だからといって価値を失うわけではない。

ちなみに、元号「昭和」の典拠も、『書経』堯典の★「**百姓昭明なり。万邦を協和せしむ**（人民の身分を明確にし、すべての国を仲良くさせた）」だから、『書経』に親近感がわくだろう。

さて、『書経』の全体像を確認しておこう。

『書経』は全部で四つのパートに分かれている。堯・舜の世の記録『虞書』、禹および夏王朝の記録の『夏書』、殷王朝の記録『商書』、周王朝の記録『周書』だ。堯・舜に始まり、夏の禹王、殷の湯王、周の文王・武王・周公旦といった聖人たちの言葉が並んでいる。

通底するのは、**君主に高い見識や道徳を求める態度**である。謙虚、清貧、寛容、思いやり、勤勉、礼儀正しさなど、ありとあらゆる徳を君主に求める。そして、暴君の代名詞となった夏の桀王や殷の紂王のように、君主が徳を失えば、**天は無道の君主を見放し、他の有徳者に「天命」を下す**。聖人の系譜に連なる堯・舜・禹・湯・文・武・旦は、いずれも天意に従う完全無欠の有徳者ばかりだ。だからこそ彼らは**天命我に在り**という自信を持って行動する。

そんな聖人の言葉を連ねた『書経』は、リーダー必読の書だ。たとえば、禹王は「**刑は刑なきを期す**（刑の目的は刑を執行しなくてもよい世をつくることだ）」（大禹謨）と言い、また湯王は「**食言せず**（嘘は言わない）」（湯誓）とか★「**万方罪あらば、予（わ）れ一人に在らん**（民に罪を犯す者がいれば、その責任は私ひとりにある）」（同）と言う。武王は★「**民の欲する所は天必ず之に従う**」（泰誓上）と述べ、天意＝民意であって、天意に従うとはとりもなおさず民意に従うことだと**民主主義に通ずる考え**を述べたりする。

この本のポイント

❶『書経』は、聖人の言葉を記録したもの。堯・舜たちの言葉を楽しめる。

❷『書経』の出自はあやしいけれど、実は戦国時代の『書経』が発見されている。

32 『春秋左氏伝』

左丘明

『春秋』は「五経」の一つだ。経文はただの歴史記録だが、その背後にあるドラマチックな詳細を名文で明らかにしたのが『春秋左氏伝』だ。「鼎の軽重を問う」など、古今の読書人を虜にしてきた逸話にあふれている。

『春秋左氏伝』小倉芳彦 訳/岩波文庫

左丘明(生没年不詳):春秋時代(前722～前403)の魯の史官。姓が「左」なのか「左丘」なのかも不明。『論語』に言及があるが、その「左丘明」と同一人物かも不明。『春秋左氏伝』『国語』の作者とされるが、異説も多い。

文字量 

難易度   

魯という国の年代記

『春秋』は「四書五経」の一つ。『春秋左氏伝』は、その『春秋』の注釈書である。『春秋左氏伝』は「左伝」とも呼ばれる。三国志の英雄関羽が愛読していたとか、森鷗外が文章上達法を問われてただ一言「左伝を読め」と言ったとか、福沢諭吉が十一回読み返したとかで知られている。「左伝」は「四書五経」の中で最も娯楽性が高く、歴史小説好きならきっと気に入るだろう。

『春秋』は、そもそも「**魯**」**という国の年代記**で、出来事が年代順に並んでいるだけだ。

元年、春、王の正月。
三月、公、邾の儀父と蔑に盟う。（三月、魯の隠公は邾の儀父と蔑で会盟した）
夏五月、鄭伯、段に鄢に克つ。

こんな感じだ。これが「**経**」になるけれど、味も素っ気もない。

ところが、この簡潔な記述には**孔子の手が加えられている**という。『孟子』によれば、逆臣や不孝者に筆誅を加えるために孔子は『春秋』をつくった。魯の年代記をもとに「筆すべきは則ち筆し、削るべきは則ち削る」（『史記』）ことで、ひそかに正しい道を示したという。

問題は、**経文をどう見ても、事実の羅列にしか見えないこと**だ。でも、この簡潔な文の中に孔子の教えがある以上、その「**微言大義**」を探り出さなければならない。そこでいろいろな注釈書が生まれた。それが『公羊伝』『穀梁伝』『左氏伝』、いわゆる「三伝」である。

注釈の方式や内容は「三伝」でだいぶ異なる。

たとえば、『公羊伝』は、隠公元年の経文について「『元年』って何？　君主の始めの年のことさ。『春』って何？　年の始めのことだよ。『王』って誰？　周の文王のことさ。なぜ先に『王』と言ってから『正月』を続けるの？　周王の（暦の上での）正月だからだよ。なぜ『王の正月』と言うの？　**一統を大ぶ**からさ！」と、Q&A方式で注釈をつける。『穀梁伝』も同じだ。

一方、『左氏伝』は、素っ気ない経文について、その詳細を記述する。たとえば、「宣公二年。秋九月乙丑、晋の趙盾其の君夷皐を弑す」には、次のような注がつく。

晋の霊公（名は夷皐）は、物見台から眼下の民衆に弾き玉を撃ち込んだり、熊の手の煮込みが半煮えだと怒って料理人を殺したりする暴君だった。宰相の趙盾は霊公の即位に尽力した人物だったが、霊公は口うるさい彼を殺そうとした。

霊公が派遣した刺客鉏麑は、明け方、趙盾の寝室に忍び込んだが、彼がすでに身支度を整え、出仕の時間まで仮眠をとっている姿を見て、「こんな立派な人物を殺すわけにはいかない。かといって君命に背くわけにもいかない」と言い、槐の幹に頭をうちつけて自殺した。のち危機を脱した趙盾は亡命を試みたが、その間、趙氏一族のひとりが挙兵して霊公を桃園で殺害してしまった。国境近くで報を受けた趙盾は急ぎ帰還した。

すると、晋の史官董狐は「趙盾、其の君を弑す」と記録して朝廷に掲げた。趙盾は抗議したが、董狐は「あなたは宰相でありながら、逃げても国境を越えず、帰っても反逆者を討ちません。主君の死の責任者はあなたでなくて誰でしょうか」と応じた。趙盾は「詩に『我の懐い、自ら伊の慼いを詒せり（私の思いが、かえってこの悲しみを自ら招いてしまった）』とあるが、私のことだ」と嘆いた。

このように、事件の詳細が載せられている。「晋の趙盾其の君夷皋を弑す」という素っ気ない記録の背後には、**霊公の暴挙**に始まり、**君命との板挟みに苦しみ自害した刺客鉏麑、歴史記録の文面を通じて宰相を痛罵した史官董狐**、そして**嘆きながらもそれを受け入れた宰相趙盾**など、ドラマチックな逸話があったわけである。

『公羊伝』『穀梁伝』と『左氏伝』のどちらが面白いかと問われれば、文句なしに『左氏伝』だろう。この「董狐の筆」だけでなく、「宋襄の仁」「鼎の軽重を問う」「三舎を避く」「病、膏肓に入る」「季札の国譲り」など、魅力的な話にあふれている。三夫二君一子を死に追いやり一国二卿を滅ぼした稀代の妖婦**夏姫**の話は、儒家の経典に載せていいのかと心配になるほどだ。

陳の霊公、大夫の江寧・儀行父は、三人とも夏姫と通じており、彼女の肌着を着込んで朝廷に出仕してはふざけあっていた。老大夫の泄冶が「そんなものを朝廷で着用してはなりません」と霊公を諫めると、江寧・儀行父は彼を殺してしまった。

夏姫には息子がいた。名は夏徴舒、若くして大夫の職にあった。ある日、霊公と江寧・儀行父が夏徴舒の家で酒を飲んでいた。酔った霊公が行父に「徴舒はそなた似だな」と言えば、儀行父は「いえいえ。殿に似ておりますよ」と返す。夏徴舒は不愉快に思い、帰り際、霊公を厩舎から射殺した。怯えた江寧・儀行父は楚に亡命した。

きわめて下品である。この後、「三年鳴かず飛ばず」や「絶纓(ぜつえい)の会」で知られる英主**楚の荘王**が陳に出兵し、主君殺しの夏徴舒をとらえて車裂きにした。荘王は夏姫を楚に連れ帰るが、楚でも次々と男が彼女の虜となり、人生を狂わせていく。

楚の荘王といえば、「**鼎の軽重を問う**」である。国内を治め、強国の晋(しん)を破り、鄭(てい)を服従させて、飛ぶ鳥を落とす勢いの荘王は、陸渾(りくこん)地方の戎(じゅう)を討ち、そのまま軍を周(しゅう)の国境に進めて露骨に威圧を加えた。周は天命を受けて天下を統治する「王」であり、晋や鄭や陳といった「諸侯」とは格が違う。でも荘王に周王を敬う気持ちはない。

周の定王は大夫の王孫満を使者として荘王のもとに派遣した。荘王は彼に周の至宝九鼎(きゅうてい)の大小軽重をたずねた。周を滅ぼして九鼎を持ち出し、その後継者になると仄めかしたのだ。王孫満は「鼎の軽重は徳次第です。昔、夏王朝の徳が栄えたころ、夏王は全国九つの州の銅を集めて九鼎を鋳造させました。徳のある間は夏にありましたが、桀王(けつおう)が徳を失うと九鼎は殷に移り、六百年を経て、殷の紂王(ちゅうおう)が暴虐を働くと今度は周に移りました。徳が輝いていれば、鼎は小さくとも重く(動かせませんが)、奸邪に陥れば、大きくとも軽く(移ってしまいます)。周の徳が衰えたとはいえ、まだ天命は改まっていない以上、鼎の軽重を問うことはできません」とピシャリと応じた。

圧倒的な力を誇示して周を脅す荘王と、堂々と弁舌で荘王をやりこめる王孫満。周王を露骨に威嚇してくる無道の荘王には九鼎は重くて動かせまい、と言ってのけている。

この後、荘王は春秋五大戦の一つ邲（ひつ）の戦いに臨む。経文は二十字強に過ぎないのに、「左伝」は岩波文庫版で十八ページにわたって戦場のあれこれを描き出す。特に有名なのは次の場面。楚軍の急襲を受けた晋軍総大将の荀林父（じゅんりんぽ）が為す術を知らず、退却の太鼓を鳴らして「先に河を渡った者に褒美を取らそうぞ」と告げたところ、兵士たちが船に殺到し、

「**舟中の指、掬（きく）すべし**（切り落とされた指が舟中にたまってすくえるほどだった）」

この短い句で、**我先にと船に乗り込んだ者が、後から乗り込もうとした者の舟べりにかけた指を、次から次へと切り落としていくさま**が思い浮かぶ。「左伝」の中で最も有名な句だ。

細かな逸話も余さず味わいたいなら岩波文庫版を、有名エピソードをつまみ食い的に楽しみたいなら角川ソフィア文庫版がオススメ。

この本のポイント

❶『春秋』の経文には孔子の教えが込められている。
❷『左氏伝』は、儒家の経典とは思えないほど、心躍る話であふれている。
❸名文の誉れ高く、中でも「舟中の指、掬すべし」は名句中の名句とされる。

33『国語』

左丘明（さきゅうめい）

知識人必読の史書「左国史漢」の一角を占めるのが『国語』だ。周の穆王（ぼくおう）から前四五三年までの西周・春秋時代の歴史書である。柳宗元（りゅうそうげん）をして「その文は深遠卓越、世の人が夢中になってやまない」（「非国語」）と言わしめた傑作。

『国語』大野峻／中国古典新書

文字量 ■■□　難易度 ？？□

左丘明（生没年不詳）：春秋時代（前722〜前403）の魯の史官。姓が「左」なのか「左丘」なのかも不明。『論語』に言及があるが、その「左丘明」と同一人物かも不明。『春秋左氏伝』『国語』の作者とされるが、異説も多い。

『春秋左氏伝』の姉妹編

『国語』の作者は、**左丘明**だという。

左丘明は『春秋左氏伝』の作者ともされる人物だ。彼は、孔子のつくった『春秋』に、詳細な事実を補って『左伝』をつくった。このとき集めた史料のうち、**いつの話かわからなかった史料を国ごとにまとめた**のが『国語』だという。あるいは、『春秋』の注として『左伝』をつくってみたものの、歴史を書き尽くせなかったので、『春秋』の経文にこだわらず、「春秋外伝」として『国語』をつくったともいう。要するに、**本当のところはわからない**。

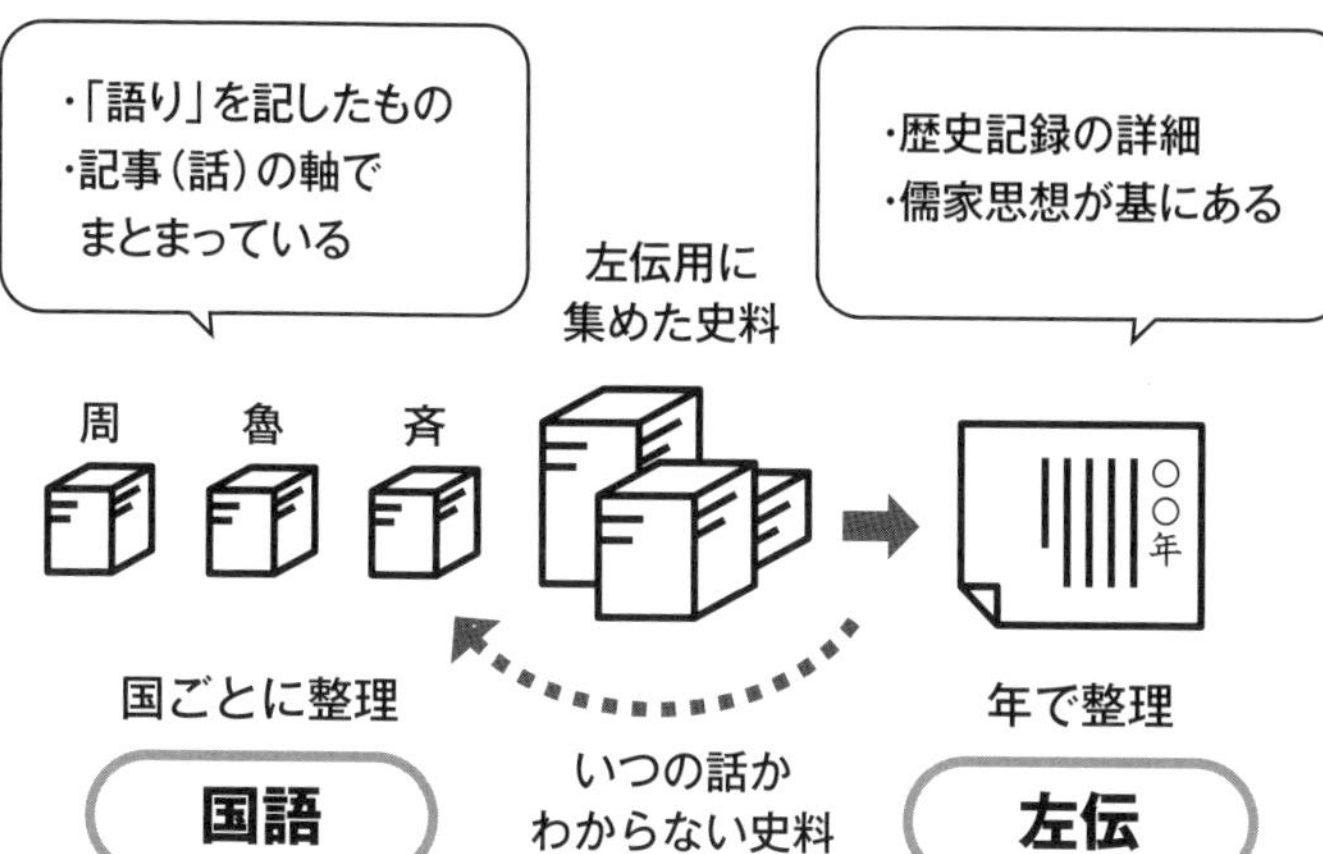

『国語』とは、国ごとの語り

春秋時代には多くの国があったけれど、取り上げられるのは、**周・魯・斉・晋・鄭・楚・呉・越**の八か国だ。周から鄭が「中華」、楚・呉・越が「夷狄（いてき）」になる。それぞれ周語・斉語・晋語……と呼ぶ。

天命を受けた天子の国である**周**、春秋でも取り上げられた**魯**、「春秋の五覇」と称される五人の覇者——斉の桓公、晋の文公、楚の荘王、呉王夫差（ふさ）、越王句践（こうせん）——を輩出した**斉・晋・楚・呉・越**、そして**鄭**。

鄭語は、西周の滅亡と秦・晋・斉・楚の興隆とを予言する。周語の十章分とこの鄭語が西周の衰退と滅亡までを語る部分で、残る部分はみな、春秋時代の記述になる。

『春秋左氏伝』とは異なるテイスト

『左伝』と『国語』は姉妹編だ。でも、『左伝』が伝えるのは出来事の詳細である。『国語』は「語り」、誰かが語る**言葉**(せりふ)を中心とする。★「献公驪戎(りじゅう)を伐ち……驪姫(りき)を獲て以て帰り、立てて以て夫人と為す」(晋語)といった記述もあるけれど、このあとは史蘇の言葉が延々と続く。「史」は史官かつ占い師みたいな存在で、「驪姫が禍根になる」と予言する。人物の言葉(せりふ)がメインな点では『書経』と似ているかもしれない。

また、編年体の『左伝』では、記事が飛び飛び分散しているが、**『国語』はまとまっている**。しかも、斉語・晋語・呉語・越語は、それぞれ歴史小説でもおなじみの「春秋の五覇」——斉の桓公、晋の文公、呉王夫差、越王勾践の記事でまとまっているから、『左伝』よりも楽しみやすいかもしれない。

『左伝』は儒家の経典であり、その記事は儒家思想にもとづいて選ばれている。でも、姉妹編の『国語』は、てんで**儒家っぽくない**。柳宗元は、『国語』について「其の説 誣淫(ふいん)多し(その内容はデタラメだらけだ)」と批判する(「非国語」)。たしかに神話・占いの話も多いし、語られている思想も儒家離れしている。

たとえば、越語下には、范蠡(はんれい)のこんな言葉がある。

呉を伐たんとする勾践に、范蠡は「**夫れ国家の事には、盈つるを持つ有り、傾きを定んずる有り、事を節する有り**（国家の政治には、繁栄の維持、危機の安定、物事の節制があります）」と言い、「繁栄の維持には天にのっとり、危機の安定には人にのっとり、物事の節制には地にのっとります」「天道は満ちてもあふれず、盛んでもおごり高ぶらず、苦労してもその功に誇りません」「（聖人は）天の時が来なければ、敵を攻めません。人事（敵中の叛乱など）が起こらなければ、攻撃を始めません」と述べたうえで、越王は満ちていないのにあふれ、盛んでないのに驕り、苦労していないのに功に誇り、天の時も来ず人事も起きていないのに、敵を攻撃しようとしている、これは「天意に逆らい、人の和を失う」もので、いま開戦したら必ずやひどいめに遭うと。

ここで彼が使うのが「**夫れ勇は逆徳なり。兵は凶器なり**」。『老子』の「佳兵は不祥の器なり」を思い出すけれど、越語下に儒・墨・名・法といった諸思想の要素は含まれておらず、むしろ『老子』に先行するという（浅野裕一『黄老道の成立と展開』）。もっと古い思想ということだ。

この本のポイント

❶『国語』は、『春秋左氏伝』の姉妹編。国ごとにまとめられている。
❷人々の語りを主に編集され、かつ諸子百家の原初的な思想を伝えているらしい。
❸明徳出版社版は抄訳。訳者は同じ。口語訳の読みやすさでは明治書院版がよき。

34『史記』

司馬遷

『史記列伝』『史記世家』小川環樹・今鷹真・福島吉彦 訳／岩波文庫

高校で習う「天道是か非か」「鴻門の会」「四面楚歌」などで知られる歴史書。歴史書というよりも文学として高く評価されている。要するに、面白い。中島敦や司馬遼太郎にインスピレーションを与えた。

文字量 

難易度 

『史記』は文学か

『書経』は、**古代の帝王の言葉の記録**で、戯曲のように、「帝曰く……と。益曰く……と。禹曰く……と」と、ト書きが並ぶ。また『春秋』の経文は、**魯国の「編年体」の歴史書**で、「元年春……。三月……。夏五月……」と、時系列順に出来事が並ぶ。一つひとつの記述は簡素だ。

一方、『史記』は、「**紀伝体**」で編纂された。編者の**司馬遷**は、人物に焦点を当て、中島敦の言葉を借りれば、彼らを「生気溌剌」（「李陵」）と描いた。その結果、「史上の人物が現実の人物のごとくに躍動する」（同）。塩野七生の「歴史小説」に近いと言えるかもしれない。

司馬遷（前145?～前86?）：前漢（前202～後8）の人。史官だった父の司馬談が史書の編纂を始め、その遺志を継いで司馬遷が完成させた。刺客列伝など一部は司馬談の作とのこと。なお彼は『太史公書』と呼んだ。

たとえば、中島敦が名作『李陵』で引用したのは、「項羽本紀」の次のくだりだ。

★項王則チ夜起キテ帳中ニ飲ス。美人有リ。名ハ虞。常ニ幸セラレテ従フ。駿馬名ハ騅、常ニ之ニ騎ス。是ニ於テ項王乃チ悲歌忼慨シ自ラ詩ヲ為リテ曰ク「力山ヲ抜キ気世ヲ蓋ウ、時利アラズ騅逝カズ、騅逝カズ奈何スベキ、虞ヤ虞ヤ若ヲ奈何ニセン」ト。歌フコト数闋、美人之ニ和ス。項王泣数行下ル。左右皆泣キ、能ク仰ギ視ルモノ莫シ……。

項羽の最後をまさに「生気溌剌」と描いた部分。高校漢文でもおなじみのワンシーンだ。ここで中島は、「これでいいのか?」「こんな熱に浮かされたような書きっぷりでいいものだろうか?」と司馬遷に自問させている。まるで見てきたかのような描写は、もちろん司馬遷の想像の産物だ。これで歴史と言えるのかと問えば、問答無用でアウトである。**『史記』がむしろ文学として評価されるのはそのため**だ。

僕らは**歴史叙述に厳密な客観性を求める**から、僕らの感覚では、**『史記』は歴史ではない**。

そもそも司馬遷は、孔子が「是非を定め、天下の規範とする」ために『春秋』を編纂し、天子も諸侯も容赦なく批判して世を正したように、自分もその跡を継ぎつつ英明な君主や立派な諸侯やすぐれた臣下の功業を後世に正しく伝えるために『史記』を編纂した、と述べている。

王朝公認の歴史書「正史」の筆頭

編者の**司馬遷**は、前2世紀半ばの人物である。周王朝の史官の家柄に生まれ、**董仲舒**に師事して春秋公羊学を学び、前漢の**武帝**に仕えた。のち匈奴の捕虜となった**名将軍李陵**(りりょう)**を弁護して武帝の逆鱗に触れ、宮刑**(陰部を切除して人間を家畜のように去勢する刑)**に処された**。この耐えがたい恥辱が『史記』の執筆を支えたという。

『史記』は、神話時代の帝王黄帝(こうてい)**から司馬遷にとって同時代の武帝までの歴史を扱う。**
『史記』は、《本紀》《表》《書》《世家》《列伝》の五つの部門で構成されている。

《本紀》帝王の事績を編年体で述べた伝記。十二巻。
《表》　系図および年表。十巻。
《書》　儀礼、制度、音楽、天文、暦法、祭祀などのテーマ史。八巻。
《世家》代々続いた名家・諸侯・王の事績を編年体で述べた伝記。三十巻。
《列伝》帝王以外の特筆すべき人物の伝記。七十巻。

正史の基本スタイル「紀伝体」

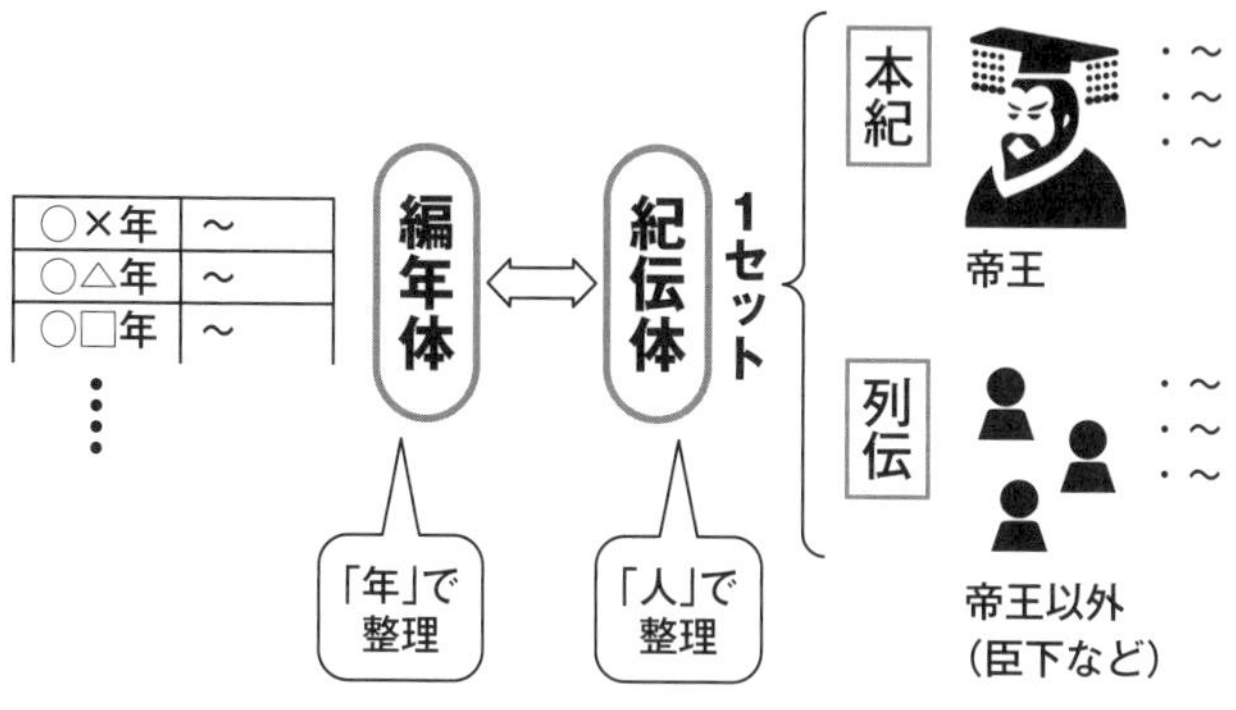

『史記』の叙述スタイルを、「本紀」と「列伝」から一字ずつとって「**紀伝体**」と呼ぶ。

要するに「**伝記の集積**」で、天皇陛下の伝記「大正本紀」「昭和本紀」とか、偉人の伝記「エジソン・テスラ列伝」「夏目・芥川列伝」とかが並んでいる感じだ。

このスタイルが「**正史**」の基本となった。

正史とは、**王朝公認の正しい歴史書**で、王朝ごとにまとめられた王朝史である。

正史は、『史記』を除き、王朝滅亡後に編纂された。**唐宋以降は、政府が編纂局をつくり、国家プロジェクトとして前王朝の歴史を編纂した**。このとき、前王朝に評価を加える。『春秋』『史記』の伝統に従い、善を善とし、悪を悪とする。採点みたいなものだ。**事実をありのまま残すという考えはない**。

天道は是か非か

『史記』『漢書』『後漢書』『三国志』は、前四史と呼ばれる。「二十四史」の中で特別なものだ。ファンも多い。訳本もある。ほぼ一人の歴史家が、人生をかけて、自分の道徳観や歴史観にもとづき、一貫して歴史叙述に取り組んだ。司馬遷の思想があふれ出しているのが、教科書でもおなじみの**伯夷列伝**だ。

伯夷と叔斉は、孤竹君の二子である。父は、（三男の）叔斉を（次の君主に）立てようとしたが、父の死後、叔斉は（長男の）伯夷に譲ろうとした。伯夷は「父の命なり」と国を離れた。叔斉も「（兄を差し置いて）立つわけにはいかぬ」と国を離れた。二人は、西伯昌（のちの周の文王）のもとに身を寄せることにしたが、西伯昌は死に、その子（のちの周の武王）はただちに殷の紂王を討つ兵を挙げた。伯夷・叔斉は「父の死後すぐに挙兵するのは、孝と言えるのか。臣下でありながら主君を討つのは、仁と言えるのか」と武王を諫めた。しかし武王は聞き入れず、殷を滅ぼして周の天下となった。二人は、汚れた周の粟（穀物）など食らうわけにはいかないと、首陽山に入り、蕨で飢えをしのいだが、餓死した。

孔子は、**伯夷・叔斉は仁を求めて仁を得たのだから恨みなどない**と述べた（『論語』述而）。司馬遷はここに疑念を呈する。**本当に恨みはなかったのかと**。『老子』は「天道にえこひいきはなく、常に善人に味方する」と言うが、それならば、伯夷・叔斉が餓死したのはなぜか。彼らは善人ではなかったのか。好き勝手にふるまいながら財産豊かで子孫も繁栄する人間がいる一方、慎重にふるまい、常に大道を歩み、公正でなければ憤りを発さず、それなのに災禍に襲われる、そんな事例が数え切れない。私はとても困惑する。**天道は是か非か**――。

これは明らかに司馬遷自身の境遇を重ねた言葉だ。李陵を弁護した自分は正しかった、それなのに武帝は自分を宮刑にし、男ならざる何かに変えた。なぜこんな目に遭うのか。司馬遷は天道の理不尽さを誰よりも味わった。そして、**そのような不遇な人々を後世に伝えるために史書を編纂**した。伯夷・叔斉だけでなく、伍子胥、呉起、商鞅、与譲、聶政、荊軻、李陵、そして司馬遷本人……不遇の最期を遂げた人物が数多く取り上げられるのはそのためだ。

この本のポイント

❶『史記』は正史の筆頭。紀伝体という叙述スタイルを生んだ。
❷理不尽な天道に翻弄される人々を「生気溌剌」とした筆致で叙述した歴史書。
❸岩波文庫版とちくま学芸文庫版は訳のみ。純粋に楽しむならマンガや小説で。

35『漢書』

班固（はんこ）

『史記』と並び称される歴史書。正史の代表であり、その簡明な文章は後世、模範とされたほど。『左伝』『国語』とまとめて「左国史漢」とも呼ぶ。日本でも平安以降、漢学の教科書として長く読み継がれた。

文字量 

難易度 

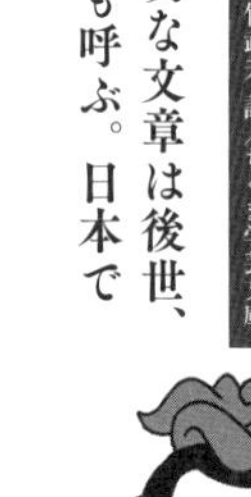

班固（32～92）：後漢（25～220）の人。父の班彪（はんぴょう）が『史記』の続編の編纂を始め、班固がその遺志を継いだが、完成直前に獄死。『漢書』のほか、五経解釈の異同を議論した白虎観会議の結果を求めた『白虎通義』など。

『史記』の続き

正史は王朝史である。たとえば、『隋書（ずいしょ）』は隋王朝（五八一～六一八）一代の歴史、『唐書（とうしょ）』は唐王朝（六一八～九〇七）一代の歴史になる。

帝王の伝記である《本紀》は、王朝創始者に始まり、亡国の君主に終わる。史書の編纂は、前王朝の善悪を明らかにするのが目的だから、当然、創始者は、**超ハイスペック意識高い系リーダー**で、最後の君主は、**国を滅ぼされるにふさわしい暴虐な君主**や**帝位から追い落とされるにふさわしい暗愚な君主**になる。

ところが、正史筆頭の『史記』は、神話時代の帝王黄帝に始まり、司馬遷と同時代の前漢の武帝に終わる。このとき、司馬遷は**現在までの全時代史を編纂しようとしていた**から、当然と言えば当然だ。

王莽の手で前漢が滅び、**光武帝の手で後漢が開かれる**と、その文臣班彪は、『史記』に続く史書がないとして、『後伝』六十五編をつくった。このとき、彼は司馬遷を、①道家を尊んで儒家を軽んじた、②貨殖（金儲け）を尊んで仁義を軽んじた、③任侠（ヤクザ）を尊んで節操を軽んじたと批判し、「此れ其の大弊にして道を傷つく（これこそ『史記』の大きな弊害であり道理を損なっている）」（『後漢書』班彪伝）と述べた。ただ、彼が批判したのは司馬遷の思想・価値観であって、その質実剛健な文章は高く評価している。

その班彪の子が**班固**である。弟には「虎穴に入らずんば虎子を得ず」で知られる西域都護の**班超**、妹には大学者馬融が師事したことで有名な**班昭**がいる。

班固は、父の遺志を継ぎ、『漢書』全一二〇巻の編纂を進めた。彼も『漢書』司馬遷伝で『史記』を批判するが、その内容は父とほぼ同じだ。前漢の武帝が儒学を官学化して以来、少しずつ儒学は浸透し、**後漢に入って儒教国家が完成していた**。『史記』の、儒家思想とは相容れない部分を彼らは批判した。こうして班固は、『史記』を修正しつつ前漢の歴史を編纂したが、完成間近に獄死。結局、妹の班昭とその弟子の馬続（馬融の兄）が『漢書』を仕上げた。

前四史が完成した年と網羅された範囲

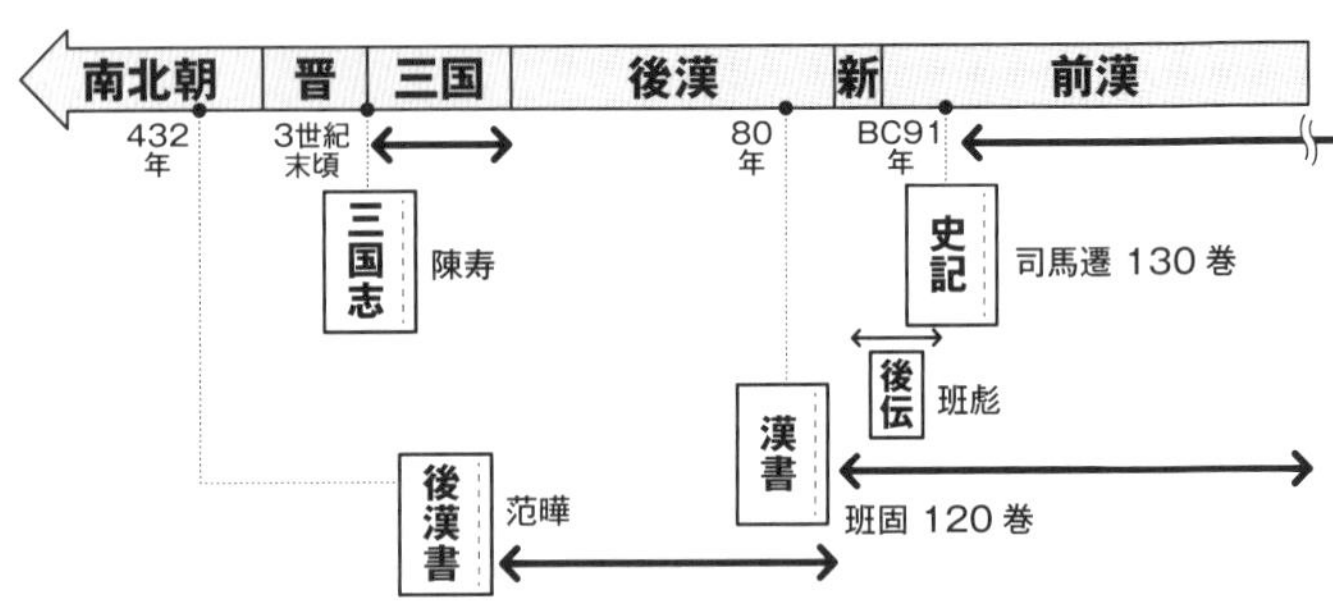

前漢を賛美する『漢書』

『史記』と『漢書』は、「五経」に次ぐ地位を獲得し、政治の得失・善悪を学ぶ書として広く読まれた。

では、両者の違いはどこにあるのか。

『史記』は『春秋』を継ぐもの、『漢書』は『書経』を継ぐものだという（渡邉義浩『中国における正史の形成と儒教』早稲田選書）。

『春秋』は、孔子が魯の歴史を通じて善悪の基準を明らかにし、乱れた世を正した書だ。『史記』も、司馬遷が『春秋』を継ぎ、歴史を通じて善悪の基準を明らかにし、当世を批判した書だった。

問題は、**その当世が前漢の治世だったこと**である。

班固の仕える後漢は、前漢を継ぐ王朝だ。**前漢は理想の世でなければならない**。そうでなければ、後漢の正統性はどこから来るのか。前漢の世を批判する『史記』の歴史観を認めるわけにはいかない。

『書経』は、堯・舜などの古代の帝王を賛美し、現世の模範とするために書かれた。『漢書』も、同じく**儒教国家としての前漢を理想の世と賛美するために書かれた**。前漢の武帝が董仲舒の建策を受けて儒教を国教化したと述べたのも、**儒教国家たる後漢のルーツが前漢にある**という形にしたかったからだ（班固の捏造で、史実ではないとされる）。前漢を儒教の理想が実現していた時代として描く『漢書』は、中国では『史記』よりも熱心に読まれたという。

『漢書』は、《世家》を廃し、《書》の名を《志》に改め、**《本紀》《表》《志》《列伝》の四部構成をとる**。また前漢の創始者劉邦から前漢を滅した王莽までを扱い、**王朝史というコンセプトを正史に持ち込んだ**。この点で、正史の形式を決定した書とも言える。

この本のポイント

❶『漢書』は、儒教的価値観にもとづいて前漢を賛美するために書かれた歴史書。
❷武帝期までは『史記』と内容が重なるから、『漢書』と読み比べるのも一興。
❸あえて丙吉、朱雲、朱買臣、黄覇など、『史記』にない列伝を読むのも一興。

36『後漢書』

范曄

『後漢書 本紀』渡邉義浩 訳／早稲田文庫

中華随一の名君光武帝に始まる『後漢書』。西域経営の班超、ローマを目指してユーラシアを横断した甘英、訓詁学の馬融・鄭玄・許慎、合理思想の張衡・王充・桓譚。魅力的な人物にあふれている。彼らの記録を一気読みだ。

范曄（398～445）：南朝宋（420～479）の人。琵琶の名手。左遷されて暇だったので、『後漢書』を編纂した。先行する各種「後漢書」を寄せ集め、論賛をつけて無聊を慰めたもの。これがのち唐の皇太子にウケて正史に。

文字量 

難易度   

『後漢書』が成立したのは『三国志』のあと

正史「二十四史」のうち、『史記』『漢書』『後漢書』『三国志』の、いわゆる「前四史」は特別な地位にある。

実は、編纂された順は、『史記』（前漢）→『漢書』（後漢）→『三国志』（晋）→『後漢書』で、范曄が『後漢書』を編纂したのは、南北朝時代（四二〇～五八九）の宋（四二〇～四七九：創始者の劉裕にちなんで劉宋と呼ぶ）になってから。後漢の滅亡より二百年ほど経っていた。実は当時すでに『**東観漢記**』という後漢の歴史書があり、改めて編纂する必要がなかったのだ。

ところが、『史記』『漢書』『三国志』が、それぞれ司馬遷・班固・陳寿（ちんじゅ）の歴史観にもとづき、一貫した歴史叙述になっているのに対して、『東観漢記』は、班固・劉珍・蔡邕（さいよう）ら複数の人間が残した同時代史料の集積であり、叙述に一貫性も思想性もなく、時勢に配慮した中途半端な内容になっていた（時の権力者に忖度して歯に分厚い衣を着せていたというわけ）。

そこで、**後漢の滅亡を機に、多くの歴史家が、司馬遷や班固に倣い、一貫した歴史観にもとづく後漢の史書の編纂に取り組んだ**。その数十三種。中には、晋の皇族司馬彪（しばひょう）の『続漢書（しょくかんじょ）』や、劉宋の皇族で『世説新語』の編纂でも知られる劉義慶（りゅうぎけい）の『後漢書』もあった。范曄の『後漢書』も、その一つである。

范曄は、『東観漢記』や先行する「後漢書」を元ネタに《本紀》と《列伝》を編纂した。《志》も予定していたが、完成を待たずに獄死した。現行の『後漢書』の《志》は、司馬彪の『続漢書』の《志》を補って加えたものである。

司馬遷も班固も、本紀・列伝のあとに自分の論賛（編者が本紀・列伝を総括して論評・賛美する言葉）を加えたが、范曄も両者に倣って「論曰く…」「賛曰く…」と論賛を加えた。孔子は、自分の名を後世に輝かせるのは『春秋』だと述べたが、范曄も論賛を残すことで名を残した。唐（六一八～九〇七）に入り、高宗・則天武后の子で皇太子の**李賢**（りけん）が、范曄の『後漢書』を気に入って注をつけ、その結果、他の「後漢書」を追い落として正史の一つになったのだ。

光武帝と魅力的な名将たち

『後漢書』には、三国志の英雄たちの列伝もある。でも、ここは、あえて『後漢書』ならではの故事を読みたい。「死中に活を求む」の公孫述、「虎穴に入らずんば虎子を得ず」の班超、「梁上の君子」の陳寔、「糟糠の妻は堂より下さず」の宋弘、「天知る、地知る、我知る、子知る」の楊震、「壺中の天」の費長房など。

何よりも、光武帝**劉秀**に注目だ。後漢王朝の創始者であり、若干スピリチュアル（讖緯説。占いのたぐい）に走った点でアレなものの、中国史上最高と称される名君だ。**その武勇・器量・有能さ・勤勉さ・謙虚さは群を抜いている**。また、その部下も、**鄧禹**や**呉漢**をはじめ、「**雲台二十八将**」と総称される名将ぞろい。

天下統一後、功臣を封建した光武帝は彼らに訓示した。★「人の心は充足するとわがままになり、一時の欲望を楽しもうとし、罰を慎むという道理を忘れる。思うに、諸将の功績は遠大である。これをしっかりと子々孫々に伝えるためには、深い淵をのぞき込む時のように、薄い氷の上を歩む時のように、戦々恐々としながら、日々身を慎んで暮らすべきである」（光武帝紀）、また★「人の上に立って驕ることがなければ、（地位が）高くとも危ういことはない。節度をわきまえ法を守れば、満ちても溢れることはない。身を慎み慢心を戒めよ」（同）と。

偉大な功業を成し遂げたのだから、浮かれていてもいいのに、『書経』『詩経』『孝経』を引きながら、すかさず功臣を引き締めるのはさすが。日本の使者に「漢委奴国王」の金印を与えただけの人ではない。彼は「志有る者は事竟に成る」「疾風に勁草を知る」「隴を得て蜀を望む」などの名言製造機であり、後世、曹操、諸葛亮、李世民、岳飛、康熙帝、毛沢東……名だたる皇帝・英雄がみな賛美し憧憬した**英雄が憧れる英雄**なのである。個人的に「有能すぎて（危機を事前に回避してしまうから）何もしていないように見える」という諸葛亮の評が好き。

光武帝の名将の中では、「老いては当に益々盛んなるべし」と名言を残し、実際に還暦ながら出征を願って光武帝から「矍鑠たるかな、此の翁や（元気だな、このジジイ）」と言われた**馬援**がお気に入り。「雲台二十八将」には入れてもらえなかったけど。ともあれ、彼ら建国期を彩る名将たちはそれぞれ魅力的で、三国志の英雄・名将にひけをとらない。その活躍を楽しめるのが『後漢書』の魅力だ。

この本のポイント

❶『後漢書』は、『三国志』よりも遅れて成立した。
❷数ある「後漢書」の中で、最も高く評価されて生き残ったのが范曄の『後漢書』。
❸三国志の英雄もよいけれど、光武帝とその名将の活躍を楽しむのがオススメ。

37『三国志』

陳寿・裴松之

中国史の中で最も愛されているのが三国時代。魏・呉・蜀の三国が鼎立し、三人の皇帝が並び立ち、天下統一は実現しなかった。たった四十五年間しかないけれど、のちに講談や小説の題材となり、広く愛されることになった。

『正史三国志』今鷹真・井波律子・小南一郎 訳／ちくま学芸文庫

陳寿（233～297）：三国時代（220～280）の人。蜀出身。師は譙周。彼の蜀学は讖緯の儒学で、劉備・劉禅の名前について、「備は具（完結）、禅は授（授譲）。劉氏は完結し、帝位を譲るだろう」と蜀の滅亡を予言した。

文字量 📖📖📖　難易度 ？

『三国志演義』とは別物

三国志好きの日本人は多い。

諸葛亮を筆頭に、その主君劉備、神となった義将関羽、猛将張飛、忠勇無双の趙雲。反英雄曹操に、諸葛亮の好敵手周瑜と司馬懿。歴史を彩る勇将・知将と彼らを束ねるリーダーたち。魅力的な人物と数々の心打つエピソード。

三国志をベースにした創作物も多い。映画、ドラマ、アニメに小説、そしてマンガ。『パリピ孔明』や『孔明のヨメ。』など、名作だらけだ。

とはいえ、それは『三国志演義』の話。

『三国志』は、魏・呉・蜀の三国が鼎立した「三国時代」の正史である。一方、**『三国志演義』は、この三国時代をモチーフにした歴史小説**だ。蜀の劉備を主人公に、関羽・張飛・趙雲・諸葛亮らスーパーヒーローの活躍を描く。魏の曹操は、スーパーマリオのクッパ、北斗の拳のラオウ、ジョジョのディオみたいな存在だ。

同じエピソードでも、両者で描き方は異なる。たとえば、三国志で最も有名な**赤壁の戦い**。二〇八年、荊州に南下した曹操の大軍を、劉備・孫権の連合軍が赤壁で迎え撃ち、寡兵にも関わらず、幾重にも張り巡らせた智謀の末に、火攻めで撃退する痛快エピソードだ。

『三国志演義』では、諸葛亮が孫権に出兵を決断させる第四十三回から、関羽が曹操を見逃し、ラスボスを倒す絶好の機会をふいにする第五十回まで、八回を費やして**劇的に描く。**

一方、『三国志』では、★「公（曹操）は赤壁に到着し、劉備と戦ったが負けいくさとなった。そのとき疫病が大流行し、官吏士卒の多数が死んだ。そこで軍をひきあげて帰還した」（魏書・武帝紀）、★「先主（劉備）は諸葛亮を派遣して、孫権と手を結んだ。孫権は周瑜・程普ら水軍数万を送って、先主と力を合せ、曹公と赤壁において戦い、大いにこれをうち破って、その軍船を燃やした。……流行病が広がり北軍（曹操軍）に多数の死者が出たため、曹公は撤退して〔許に〕帰った」（蜀書・先主伝）と**あっさり**だ。歴史書だから当たり前である。

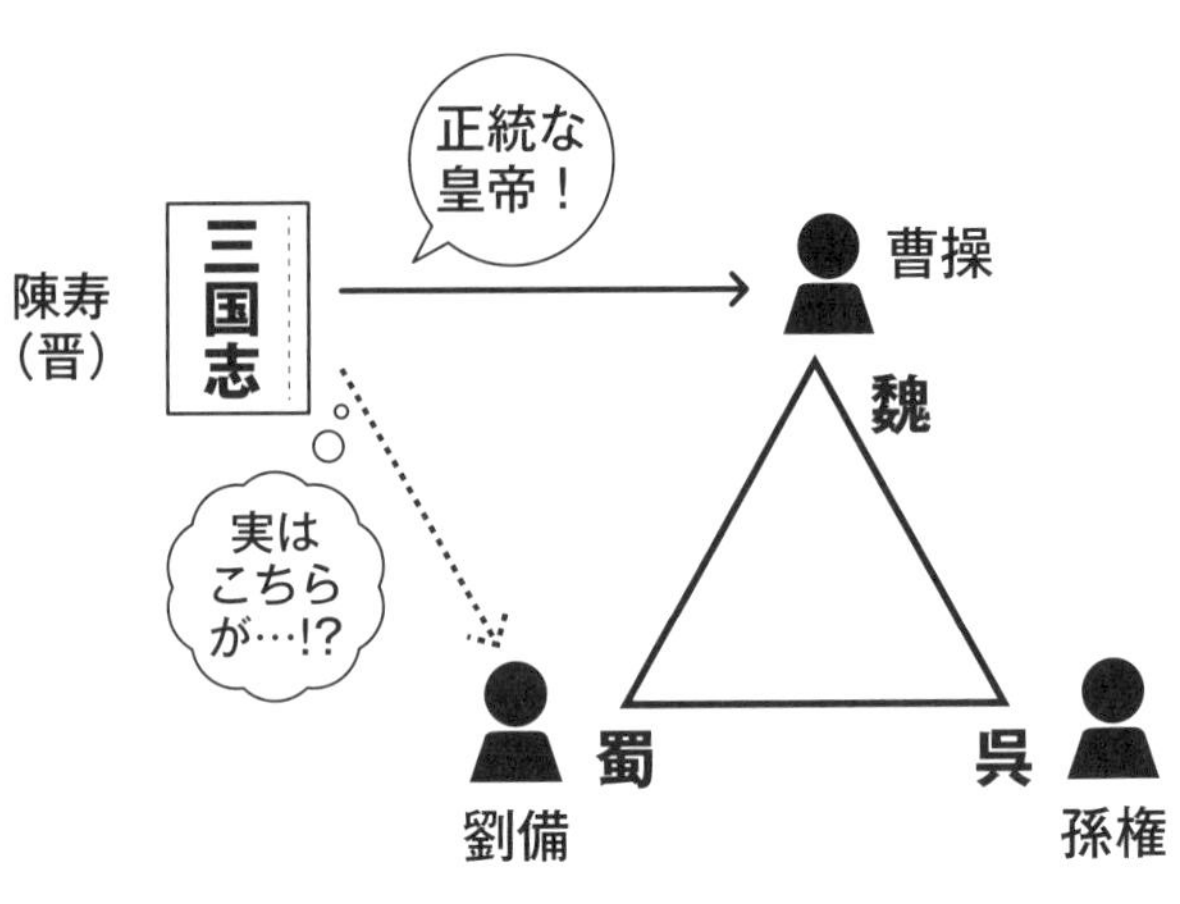

「正統」な皇帝は誰か？

後漢衰え、群雄並び立ち、やがて魏（華北）に曹操、呉（江南）に孫権、蜀（四川）に劉備が自立して、天下三分の形勢が整った。

このうち、後漢から正式に**禅譲**を受けて王朝を開いたのは**魏**である。ところが、蜀の劉備も呉の孫権もこれを認めず、それぞれ皇帝に即位し、我こそが正しく漢を継ぐ王朝だと主張した。

こうして**天下に三人もの皇帝が立つという異常事態となった**。「天に二日なく、土に二王なし（天に太陽は二つなく、大地に王は二人いない）」。天命を受けた皇帝は、天下にただ一人でなければならない。**三人のうち一人は正統な皇帝だが、二人はエセ皇帝**だ。

それでは、『三国志』の編者**陳寿**は、魏・呉・蜀のうち、どこを正統な皇帝としたのか。

正解は**魏**。陳寿は蜀出身で、はじめは蜀に仕えたが、『三国志』を編纂したときには、晋の臣下となっていた。晋は、魏から正式に禅譲を受けて開かれた王朝だ。**仮に魏が正統でないなら、それを継いだ晋も正統ではなくなる**。だから彼は、立場上、魏を正統としなければならなかった。なんと正史『三国志』では、**曹操はヴィランどころか主人公**なのだ。

陳寿は、魏の曹操や曹丕(そうひ)に皇帝の記録《本紀》を立てて「武帝紀」「文帝紀」とする一方、劉備と孫権には人臣の記録《列伝》を立てて「先主伝」「呉主伝」とした。また死の表現も、曹操に「**崩**」、劉備に「**殂**」、孫権に「**薨**」を使った。「崩」は皇帝の死に、「薨」は諸侯の死に使う言葉だ。陳寿は、こうした言葉遣いを通じて、魏を一貫して正統な皇帝として扱った。

ところが、陳寿の思いは「**二つの予言**の正しさを証明すること」にあったという（渡邉義浩『三国志が好き！』岩波書店）。一つは「益州に天子あり」で、これは**劉備が皇帝になる**という予言。もう一つは「漢に代わるのは当塗高」で、これは**漢を滅ぼすのは魏**だという予言である。陳寿は、形の上では魏を正統としながらも、**蜀の劉備が後漢を継いで「漢」の皇帝となり、その「漢」を魏が滅ぼした**という歴史をひそかに描いた。劉備の死を「殂」と書いたのも、実はこの字が聖人堯(ぎょう)の死に使われた字だからで、**劉備は「堯を継ぐもの」＝正統な皇帝だ**とひそかに示したのだという。

数多くの逸話を補った裴松之注

『三国志』は、「魏書」「蜀書」「呉書」からなる。正統の魏書だけは《本紀》《列伝》を備え、蜀書・呉書は《列伝》のみ。《志》《表》はない。

『三国志』の記述は簡素とされる。

関羽が左腕の切開手術（もちろん麻酔なし）を受けながら宴会に参加し、もう一方の手で酒を飲み、肉を食らったなんて**男前な逸話**も含まれているけれど（「蜀書」関張馬黄趙伝）、それでもかなり割愛しているらしい。陳寿は、三国時代に生まれた人であり、『三国志』は彼にとってほぼ同時代史だったので、忖度して記録に残せないことも多々あったのだ。

そこで、南朝宋（四二〇〜四七九）の文帝が**裴松之**に命じて『三国志』に注をつけさせた。

裴松之は二一〇種の資料を渉猟し、さまざまな逸話を補った。通常の注は、たとえば、「梁」という字に「今の汴州である」（史記正義）と注記したり、「太祖」に「古礼では、祖とは建国の偉業を成し遂げた者のことで、宗とは恩徳を施した者のことである」（後漢書李賢注〔渡邉義浩訳〕）と注記したりするものだ。

ところが、裴松之は、他の資料から、多くの逸話や異聞を引用する。

たとえば、関羽が劉備に終始べったりな逸話に対し、裴松之は『蜀記』を引き、曹操が劉備とともに呂布を包囲したとき、関羽が「（勝利したら、呂布の部下の）秦宜禄の妻をいただきたい」と曹操に申し出て、曹操はいったんそれを許したものの、結局、横取りし、関羽はもやもやしたという逸話を補う。人妻を奪おうとする関羽も関羽だけど、その人妻を横取りする上司の曹操もどうかしていると思う。

ともあれ、陳寿が採録しなかった細かなものから真偽のあやしいものまで、数多くの逸話を裴松之は補って、後世に残してくれた。これが正史『三国志』を魅力的なものにしている。

三国時代は、統一王朝はなく、後漢末の混乱期からずっと戦いが続いた。日本の戦国時代みたいなもので、数多くの名将・知将の活躍が歴史講釈の形で後世に伝わり、それがやがて『三国志演義』に結実する。その間、陳寿の仕掛けが効力を発揮した。**正統な皇帝はむしろ劉備ではないかとみなが言い出し、曹操はすっかりヴィランとなった**のだ。

この本のポイント

- ❶ 正史『三国志』と小説『三国志演義』は別物。
- ❷ 中国史学に正統という概念を持ち込んだ。王朝が並立するたびに正統が問題に。
- ❸ 裴松之注には、演義にもない細かな逸話が！　三国志ファンなら一読すべき。

38『資治通鑑(しじつがん)』

司馬光

書名は「統治を資(たす)ける通鑑(通史)」を意味する。正史は政治の得失を明らかにするものだが、『資治通鑑』は政治の教科書として君臣が読むべき通史として編纂された。その達意の文体と記述の正確さが高く評価される名著。

『資治通鑑』田中謙二 編訳/ちくま学芸文庫

司馬光(1019～1086):北宋(960～1127)の人。遅咲きの官僚。40歳を超えて頭角を表すも、王安石「新法」に反対して失脚。洛陽に隠棲して『資治通鑑』を編纂。66歳で宰相として返り咲くもその年に死去。

文字量 📖📖📖

難易度 ?

編年史の流れをつくった画期的な歴史書

北宋時代(九六〇～一一二七)に入り、歴史の名著が生まれた。一つが正史に名を連ねる**欧陽脩(おうようしゅう)**の**『新五代史』**。正史の名が「〇書」から『宋史』『元史』『明史』になるほどのインパクトを与えた。

唐以降、正史は、皇帝の勅命を受けて編纂局を設け、寄ってたかって編纂するものだったけれど、欧陽脩は個人著作として『新五代史』を書き上げた。『史記』『漢書』の伝統に回帰したとも言える。自己の歴史観にもとづき、一貫した歴史叙述をしてみせた。

この段階で、正史は十九種も生まれている。『旧唐書』『新唐書』と『旧五代史』『新五代史』をそれぞれ一書と数えて「**十七史**」と総称する。

歴史の名著のもう一つが**司馬光**の『**資治通鑑**』である。

歴史は知識人にとって避けられない教養だ。でも**千六百巻を超える**「**十七史**」**を通覧するのは不可能だ**し、広く写本がつくられた『史記』『漢書』はともかく、存在自体がレアなその他の正史を読むのは難しい。

それに、紀伝体は**余計な話を入れがち**だ。たとえば、『三国志』には、関羽が左腕の切開手術を受けながら、もう一方の手で酒を飲んでいたという逸話が入っているけれど、要る？

というか、もともと正統な歴史叙述は『春秋』の**編年体**だったはず。紀伝体かつ細切れの王朝断代史が「正史」とされているが、これは『春秋』をないがしろにするものだし、ブチブチの細切れでは正しく歴史を学ぶことはできない！

そんなわけで司馬光は、『春秋左氏伝』を継ぎ、戦国時代・秦の編年体の歴史書を編纂して、英宗に献上した。英宗は喜び、続編の編纂を命じ、続く神宗は、まだできてもいないのに、御製の序文と『**資治通鑑**』**というタイトルをプレゼントした**。こうして司馬光は、ここから二十年かけて、**全二九四巻・十六王朝・一三六二年間の通史を完成させた**。司馬光によって厳選された十六王朝の通史を**たった三百巻弱で読める**のだから、きわめてお得だ。

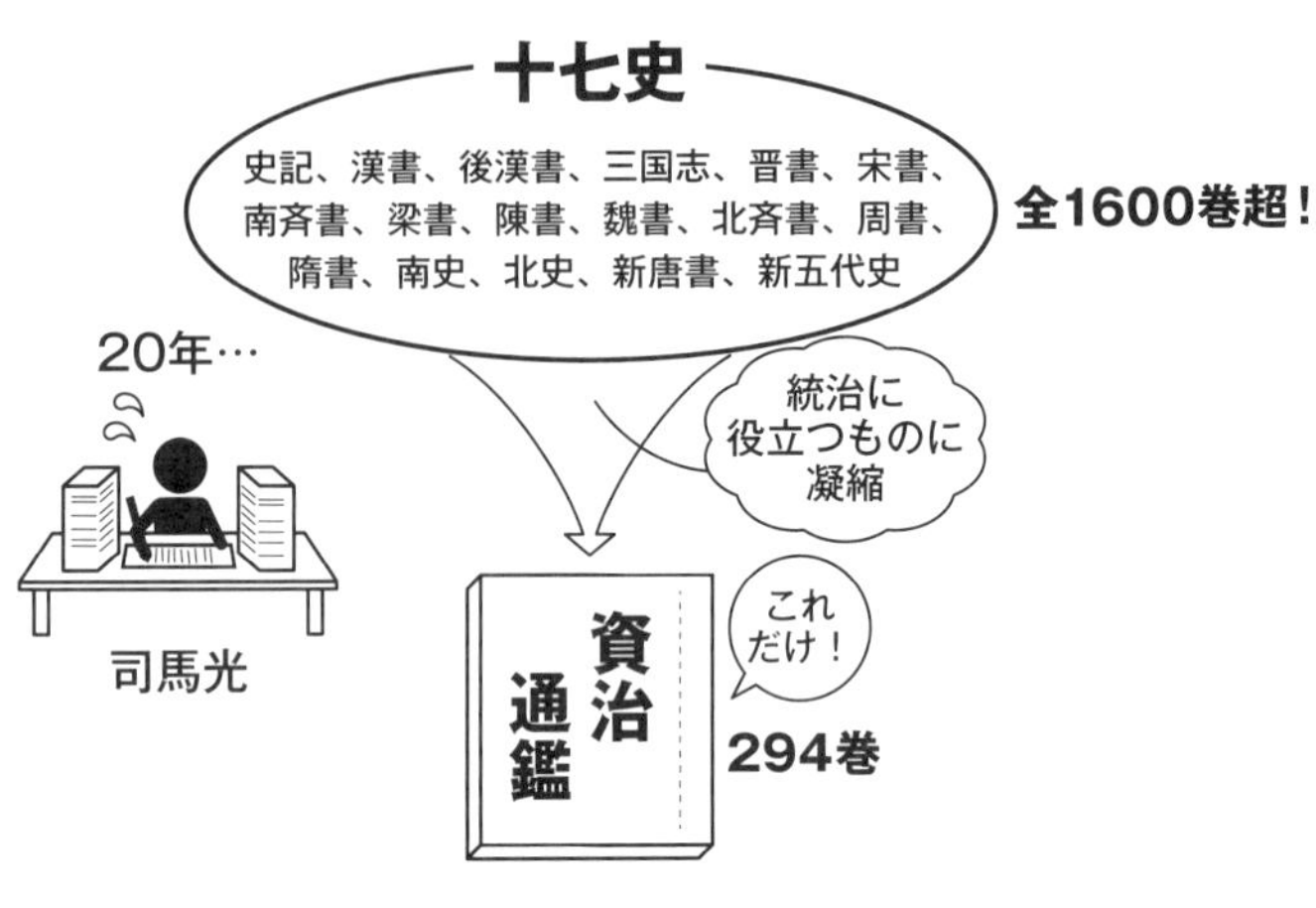

単なるダイジェスト版ではない

司馬光には、こんな逸話がある。

幼いころ、遊び仲間が大きな水甕（みずがめ）に上り、足を滑らせて中に落ちた。ほかの仲間が見捨てて逃げる中、少年司馬光は、冷静に石を拾って甕を破壊。「水迸（ほとばし）り、児活（い）くるを得（水が流れ出して子どもは助かった）」（宋史）という。

自ら「迂叟（うそう）（迂闊なじいさん）」と称し、四十歳を超えてようやく親友の**王安石**とともに頭角を表して、改革派の旗手として注目されるようになった。

ところが、神宗が即位し、王安石を抜擢して政治改革「新法」を断行させると、**司馬光はことごとく反対して、保守派＝「旧法党」のリーダーとなった。**

結局、王安石との政治闘争に敗れた司馬光は、首都開封を離れて洛陽に隠棲し、『資治通鑑』の編纂に没頭した。一〇八四年、ついに完成。翌年、神宗が崩御。司馬光は中央に返り咲いて宰相となり、新法を次々廃止したが、九ヶ月後に死去した。

『資治通鑑』は、単なる正史のダイジェスト版ではない。

まず正史のほかに二二二種の資料を集め、次に事件・事項の見出し（ちょっとした説明つき）をつくって年月順に並べた。ここまでの作業は、劉攽・劉恕・范祖禹らに手伝ってもらっている。最後に、司馬光が資料の取捨選択や添削・縮約をして完成。このとき、タイトル通り、**統治に役立つかどうかを基準とし、かつ二百を超える批評を加えた。**資料に異同がある場合は、逐一考証し、それを**『資治通鑑考異』**三十巻に残した。

こうして生まれた畢生の大作が『資治通鑑』である。その影響は大きく、李燾『続資治通鑑長編』や畢沅『続資治通鑑』などの続編も編纂された。

この本のポイント

❶『資治通鑑』は、戦国時代から五代末までの一三六二年間の編年体の歴史書。

❷膨大な資料の中から統治に役立つものを選び、厳密な考証を加えてから並べた。

❸正史にない史料を見られる点でも必読の歴史書。

39 『蒙求』

李瀚（韻文）、徐子光（補注）

『蒙求 ビギナーズ・クラシックス 中国の古典』今鷹真／角川ソフィア文庫

日本人に愛された『蒙求』。六百弱の中国故事を暗記するためにつくられた、実は長編詩だ。私たちが教科書で読んだのはその「注」のほうである。「漱石」や「蛍の光、窓の雪」の出典になったことで有名だ。

李瀚（生没年不詳）：唐（618～907）の人。正史に伝はなく詳細不明。玄宗（712～756在位）のとき、信州司倉参軍だったという。蒙求は子ども向け教科書の走りで、『○○蒙求』を書名とする大量の類書がつくられた。

文字量 ■■□　難易度 ■□□

子ども向け「故事暗記語呂合わせ集」

鮒一鉢二鉢 一鉢二鉢 至極惜しい。

突然だけれど、ネイピア数「e≒2.718281828459045……」の語呂合わせ。まさに語呂がよいから覚えやすい。書いて半年後の今も覚えている。問題は「ネイピア」から「鮒」を連想できないことと、「惜しい」から「041」を連想しかねないことくらいだ（実際は5）。

『蒙求』は、**子どもたち**（三、**四歳**）**に故事を暗記してもらうため、お父さん李瀚がつくった韻文**である。四字・四字の対句、全五九六句（つまり二三八四字）で構成されている。

王戎簡要、裴楷清通。（王戎は簡潔、裴楷は高潔）
孔明臥龍、呂望非熊。（孔明は臥龍、熊じゃないよ呂尚）
楊震関西、丁寛易東。（関西の楊震、丁寛の易は東進）
謝安高潔、王導公忠。（謝安は高義、王導は忠義）

と、まあ、こんな感じ。これが五九六句、原稿用紙六枚分も続く。

すべて「人名＋○○」の形。偶数句末の「通」「熊」「東」「忠」で韻を踏んでおり、かつ「孔明臥龍、呂望非熊」のように、「孔明と呂望（諸葛亮と太公望呂尚。ともに帝王を補佐した軍師）」と「龍と熊（どちらも強いやつ）」で対になっているから、すこぶる覚えやすい。

子どもたちは、これらの四字句をひたすら朗誦して丸暗記する。

あとは「孔明臥龍」「呂望非熊」の四字を手がかりに故事を思い出せばいい。つまり『**蒙求**』**とは、故事を覚えるための語呂合わせ集みたいなもの**である。

たとえば、「孔明臥龍」は何の故事のことか、読者のみなさんは予想できるだろうか。

その通り。のち大宰相となる諸葛亮がまだ世に出る前、彼の友人徐庶が劉備に「孔明は臥龍です。彼を登用したいなら、将軍自ら会いに行くのがよろしいでしょう」と勧め、劉備が実際に孔明の廬を三度も訪れる、あの「**三顧の礼**」の故事である。

故事を四字で表現

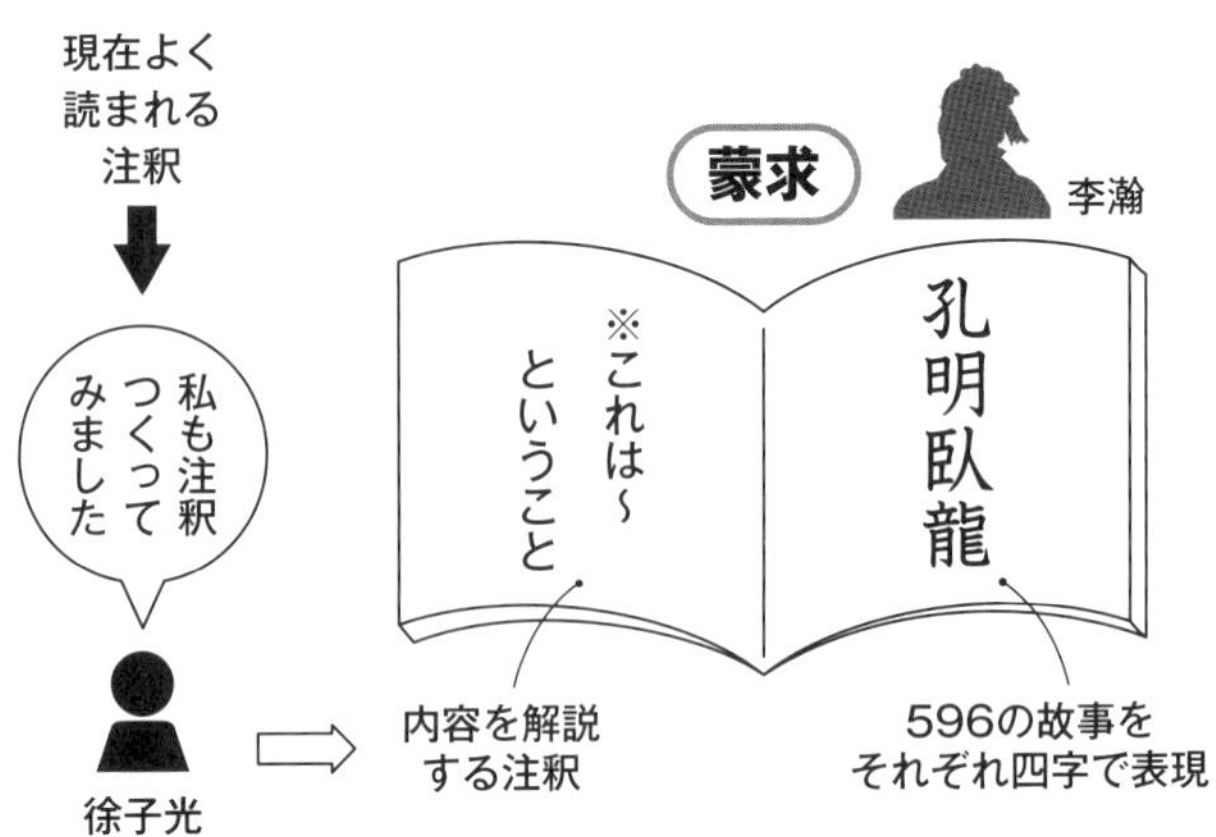

『蒙求』の本体は長編の詩に過ぎない。全部で五九六の故事を載せるが、その一つひとつの情報量はたったの四字のみ。正直、何のことだかサッパリ……が九割を超える。

そこで、**それぞれの句に詳細な注がつけられた**。もととなった故事を『史記』や『世説新語』から、字句を削りつつ簡潔に引用したものだ。李瀚の自注もあるが、よほど出来が悪かったらしく、通行本の『蒙求』の注は、宋の徐子光がつけたものである。

多くの人が教科書で見た「孔明臥龍」「叔敖陰徳」「季札、剣を挂く」「紀昌、虱を貫く」「震、四知を畏る」などの故事は『蒙求』を出典とするけれど、どれも本体の詩ではなく、徐子光の注。むしろ詩本体の「季札挂剣」「紀昌貫虱」は見たことないだろう。

『蒙求』も『十八史略』と同じく中国故事入門である。読者の興味は、李瀚の詩文ではなく、徐子光の注にある。日本人が『蒙求』を愛したのは、中国故事を手軽に学べるからだ。『史記』『三国志』『晋書』『世説新語』……居並ぶ中国古典を一つひとつ通読するのは難しい。でも、『蒙求』を一つ読めば、いろいろな古典に散らばっている故事を一気に学べる。しかも簡単に！　効率よく教養を高めたいという欲求は今も昔も変わらない。

『蒙求』を読み進めれば、「三顧の礼」のほか、夏目漱石のルーツ「漱石枕流」、唱歌「蛍の光、窓の雪」で知られる「蛍雪の功」、琴の理解者を失って弦を断ち切る「断琴の交わり」、「お足（お金）が飛ぶ」の語源となった『銭神論』、呉王夫差を惑わした西施の「顰（ひそ）みに倣う」、「糟糠の妻」を裏切らなかった宋弘、機転で部下を守った荘王の「絶纓（えい）の会」など、おなじみの故事が続々と登場する。そんな『蒙求』をフルに楽しみたいなら、大部だけれど、明治書院版を。手軽に学びたいなら、角川ソフィア文庫版が解説も充実していてオススメだ。

この本のポイント

❶『蒙求』の本体は四字・四字の対句が五九六句も続く長編詩。
❷元は子ども用の語呂合わせ集。のち中国故事の入門書として愛された。
❸『蒙求』といえば、「漱石」や「蛍の光、窓の雪」の出典。

40『十八史略』

曾先之(そうせんし)

太古から南宋滅亡までの歴史を通覧できる一書。四五一七人の生きざまが描かれており、人生・処世の知恵があふれている。日産創業者の鮎川義介は「『十八史略』を読め。そうすれば、人間学ができる」と語ったという。

『十八史略 ビギナーズ・クラシックス 中国の古典』竹内弘行／角川ソフィア文庫

文字量 📖

難易度 ?

曾先之(生没年不詳):宋末元初(13世紀後半)の人。正史に伝はなく詳細不明。十八史略という長く読み継がれる史書を書きながら、伝を残すほどの人物とは見なされなかったということ。彼の人生を伝える資料は見つかっている。

歴史のいいとこどりをしたダイジェスト

名前のままである。十八の歴史書の概略。それが『十八史略』だ。『十八史略』がまとめられたのは、今から八百年前。南宋が滅び、モンゴル系の元(げん)王朝が中国全土を支配下に置いたころである。このときまでに十七の正史が成立していた。**正史とは、歴代王朝から公認された正統な歴史書**。史記、漢書、後漢書、三国志、晋書、宋書、南斉書、梁書、陳書、魏書、北斉書、周書、隋書、南史、北史、旧唐書、新唐書、旧五代史、新五代史で、唐書と五代史は新旧合わせて一つと数えるから、計十七種になる。

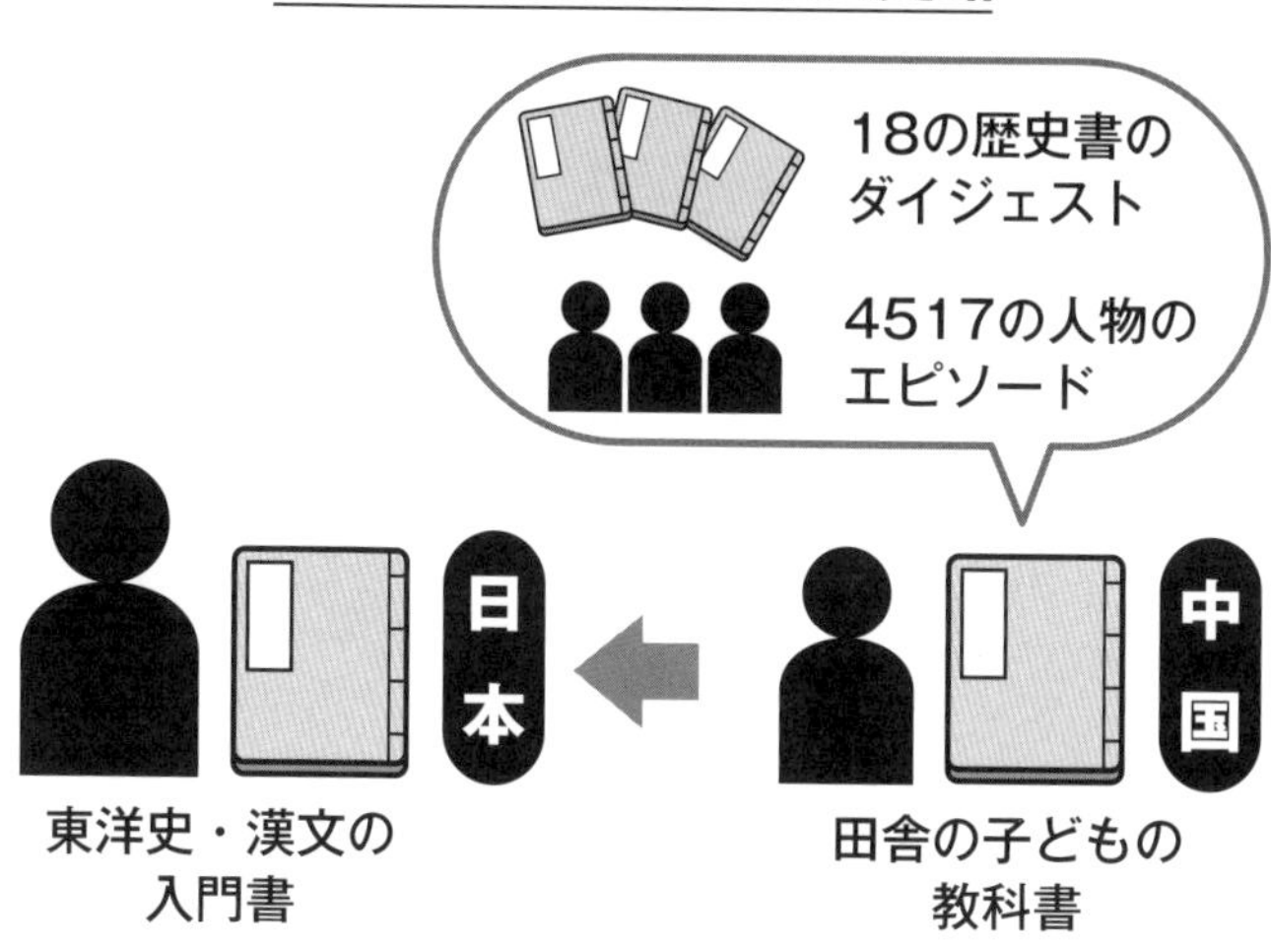

このとき、宋の正史は完成していなかった。そこで編者の曽先之は『続資治通鑑長編』などの野史（王朝非公認の歴史書）で宋の歴史を補い、これを十八番目の歴史書とした。

正史は、**皇帝の年代記**（**本紀**）と**個人の歴史**（**列伝**）で構成された「**紀伝体**」の**断代史**（王朝一代かぎりの歴史）である。時系列もよくわからないし、歴史を学ぶには、一つひとつ大部の十七史を全部読まなければならない。

そこで、宋代以降、それまでの歴史を**年代順に編集した**「**編年体**」の**通史**が編纂されるようになった。その代表が司馬光の『資治通鑑』である。でも、とにかく長いし、内容も堅い。**もっと簡便に、歴史を全部ざっと見渡せないのか**。そのニーズに応えたのが曽先之の『十八史略』である。

魅力は四五一七人の登場人物

『十八史略』は、**太古の神話伝説の時代から南宋滅亡までの歴史を、時間の流れに沿って簡略に並べた歴史書**である。元・明の時代にはよく読まれたが、現在、中国ではほとんど知られていない。訳者の竹内弘行先生によれば、★「この書が、田舎の塾の教科書として、もっぱら子ども用に使用されたから」であり、★「『史記』や『漢書』など、有名な歴史書の要所を切ってつないだだけの、今風に言えばノリとハサミで作られた書物だった」からだという（序）。

日本では、『十八史略』はよく知られた中国古典であり、明治時代には東洋史の教科書として、また漢文の教科書として爆発的に読まれた。つまり、**子どもたちや学生が、東洋史の入門書、また漢文の入門書として『十八史略』を愛読していた。**

正直なところ、**『十八史略』の魅力はそのまま『史記』や『漢書』の魅力と言っていい。**

つまりは、中国故事の魅力である。

たとえば、**鼓腹撃壌**(こふくげきじょう)の故事。伝説の聖天子**堯**(ぎょう)の治世に、老人が腹鼓(はらつづみ)を撃ち地面を叩きながら、★「井を鑿(うが)ちて飲み、田を畊(たがや)して食らう。帝の力 何ぞ我に有らんや（井戸を掘って飲んで、田を耕して食う。堯さんのおたすけなんてありゃせん）」と歌ったという。堯の仁徳が行きわたっているおかげで安楽な生活を送れているのだけれど、それを老人に意識させない堯。よき。

あるいは、**臥薪嘗胆**の故事。父王を殺された呉王夫差が薪に臥し、出入りのたび人に「夫差よ、越人がそなたの父を殺したのを忘れたのか」と言わせて復讐心を燃やし、やがて父の仇である越王勾践を会稽山に破る。すると、今度は勾践が寝起きのたび胆を嘗め、人に「そなたは会稽の恥を忘れたのか」と言わせて復讐心を燃やし、やがて夫差を破って自殺に追い込んだ。すべてを犠牲にして復讐に臨む勾践。よき。

個人的に、その勾践を支えた**范蠡**がいい。『国語』越語に出てきた、あの范蠡である（179頁）。彼は越が呉を滅ぼすや、最大の功臣なのに、いきなり越を去った。同僚の文種は去らなかったため、讒言にあって殺された。**引き際がよい**。

斉に亡命した范蠡は鴟夷子皮と名乗り、前歴を隠して暮らし始めたが、数千万の富を築き、宰相に推されてしまった。彼は嘆息して「数千万の富、宰相の地位。これは布衣（一般人）としては富貴の極み。こんなのが長続きするのは不吉だ」と、財産をそっくり人に分け与えて宰相を辞し、亡命して名を陶朱公に変え、また一から生活を始めた。引き際が見事すぎる。

こうした**魅力的な人物の故事を通じて、読者は人生・処世を学ぶ**。

ほか、知る機会の少ない東晋や南北朝時代の故事に触れられるのも魅力だ。たとえば、東晋の**謝安**。名門貴族出身で、王羲之とも親交のあった彼は、東晋の危機を二度も救った。はじめは、実力者桓温が帝位簒奪を企てたとき。彼の求めをのらりくらりとかわして、それを防いだ。

次は、前秦王苻堅が百万の大軍を率いて南下したとき。謝安はこれに備え、甥の謝玄を将軍に強力な北府兵団を組織しており、首都に迫る苻堅の大軍をわずか八万の軍で迎撃した。東晋が緒戦に勝利すると、秦兵は「草木を望見して皆晋兵と為す（草木を見て東晋の兵だと思う）」怯え様。総崩れ後、逃げる秦兵は「風声鶴唳を聞いて以て皆晋兵至ると為す（風の音や鶴の鳴き声を聞いて東晋の兵が追いついたと思った）」という。四字熟語「**草木皆兵**」「**風声鶴唳**★」の出典だ。

最後は南宋の滅亡だ。南宋の将文天祥は元軍に捕われても屈せず、「人生古より誰か死無からん。丹心を留取して汗青を照らさん（古来、人間はみな死ぬものだ。〔どうせ死ぬなら〕まごころを留めて歴史書を輝かしたい）」という詩句を残して処刑された。同じく南宋の将張世傑は厓山の海戦で敗れたのちも安南に逃れて宋の再興を図ろうとしたが、途上、台風に襲われた。彼が「天よ。もし私が宋を再興することを望まないならば、大風で我が船を転覆させるがいい！」と叫んだところ、「**舟遂に覆り、世傑溺る。宋亡ぶ**」。これが最後の句である。

この本のポイント

❶『十八史略』は歴史書をいいとこどりしたダイジェスト。
❷『史記』『漢書』『三国志』を読むのはやや面倒という人にぴったり。
❸最大の魅力は四五一七人の人物たちの故事。人生・処世を学べるぞ。

第5章

日本文化の源流を垣間見る10冊

日本文化の「もと」は何か

41『文選』

昭明太子

「新釈漢文大系 文選」【賦篇】中島千秋・高橋忠彦、【詩篇】内田泉之助・網祐次、【文章篇】原田種成・竹田晃／明治書院

「文は文集、文選」は『枕草子』、「文は、文選のあはれなる巻々、白氏文集」は『徒然草』の言葉。『文選』は白居易の『白氏文集』と並んで日本人に愛好された。『古事記』『万葉集』『懐風藻』……どこにでも『文選』の影がある。

文字量 📖📖📖

難易度 ？？？

蕭統（501〜531）：昭明太子。南朝梁（502〜557）の人。学問・文学を愛し、東宮に三万巻もの書物を蔵した。劉孝綽、殷芸、陸倕、王筠ら、名立たる文人が出入りし、その盛況は曹操父子の文学サロンに匹敵したという。

現存最古の詩文アンソロジー

数多ある詩・賦・文の中から、「事は沈思に出で、義は翰藻に帰す（深い思索から生まれ、美しく表現された）」（文選序）**装飾的な美しい詩文を集めたもの**。採録されるのは、当時最高の詩文ばかり。中国でも日本でも広く詩文の模範とされた。杜甫が詩で「**文選の理に熟精し、彩衣の軽きを覓むるを休めよ**（よく文選を学べ。オシャレにかまけるな）」（宗武生日）と子に説くほどだ。

春秋戦国から梁までの**およそ千年間、一三一人の作家および無名氏の作品全七六三篇を、三七の文体に分け、かつ時代順に並べている。**

宮廷の文学サロンが『文選』を生んだ

『文選』を編纂したのは、南朝梁の**昭明太子**（**蕭統**）である。彼は、梁の初代皇帝**蕭衍**（武帝）の子。即位することなく三十歳で亡くなったので、その諡を取って昭明太子と呼ばれている。

父の蕭衍は、南斉（四七九〜五〇二）の竟陵王蕭子良の文学サロンに出入りし、沈約・謝朓ら七名とともに「竟陵の八友」に数えられる詩人でもある。彼らの詩は、対句・典故・韻律を駆使した形式美を追求したもので、「永明文学」と呼ばれた。

蕭衍は即位後、学問を奨励し、文化を振興した。その宮廷には、正史『**宋書**』を編纂した**沈約**や、正史『**南斉書**』を編纂した**蕭子顕**がいた。また昭明太子の文学サロンには、文学理論書『**文心雕龍**』の作者**劉勰**や、**四六駢儷体**（形式美を追求した四字・六字の対句で構成される文）の大家**徐陵**や**庾信**がおり、『文選』の編纂に協力した。二人は女性を主題とした艶やかな**宮体詩**を生み、徐陵は、蕭衍の弟で第二代皇帝の**蕭綱**（簡文帝）の宮廷で、宮体詩の詩集『**玉台新詠**』を編纂した。『文選』は、こうした環境で生まれたものである。

『文選』は、七六三篇の作品を、三七の文体に分ける。うち詩が四四四篇、賦が五十七篇、連珠が五十篇で、ほかはだいたい一桁。詩・賦・連珠だけで七割を超える。

日本の元号と中国古典

昭和 百姓昭明、協和万邦（書経）
（人民の身分を明確にし、すべての国を仲良くさせた）

平成 地平天成（書経）
（天も地もおだやか）

仲春令月、時和気清（文選）
（仲春のよき月、時は穏やか、空気は清い）

令和 初春令月、気淑風和（万葉集）
（初春のよき月、空気は美しく風は穏やか）

実は文選を踏まえたもの

賦とは、『楚辞』の流れを汲む散文詩である。

★仲春令月、時和気清。原隰鬱茂、百草滋栄。王雎鼓翼、鶬鶊哀鳴。

（仲春のよき月、時は穏やか、空気は清い。野原・湿地に木は生い茂り、あまたの草が花ひらく。雎鳩（みさご）は羽ばたき、黄鳥は鳴く）

これは、**張衡**（ちょうこう）「**帰田賦**」の一節。あえて訓読していない。**四字句の対句の繰り返し**になっている点に注目してほしい。

元号「令和」の出典は、『万葉集』の「初春令月、気淑風和」だが、この句は「帰田賦」の「仲春令月、時和気清」を踏まえたものだ。日本人も『文選』をお手本としたのだから、こんなことは起こるだろう。

次は、**司馬相如**「**上林賦**」のごくごく一部。

彼は前漢（前二〇二〜後八）の文人で、人間性に難はあったけれど、その文筆で前漢の武帝を虜にした。これは、彼の代表作。始皇帝が創建し、武帝が拡張した、狩猟を楽しむための大庭園「上林苑」を、過剰な美辞麗句を連ねて歌い上げている。

★於是乎　蛟龍赤螭、䱭䲛漸離。
　鰅鰫鰬魠、禺禺魼鰨。
　揵鰭掉尾、振鱗奮翼、潛處乎深巖。
　魚鼈讙聲、萬物衆夥。

（是に於いてか蛟・龍・赤螭、䱭・䲛・漸離。鰅・鰫・鰬・魠、禺禺・魼・鰨あり。鰭を揵げ尾を掉かし、鱗を振るひ翼を奮ひ、深巖に潜処す。魚鼈讙聲あり、万物衆夥あり）

上林苑を流れる川の様子を歌った一節だ。四字句の対句の繰り返し、見たこともない字の連続、そして怒涛の魚ラッシュ。山を歌う一節では「★崇山矗矗、巃嵸崔巍。深林巨木、嶄巖嵾嵳。九嵕巀嶭、南山峩峩。巖陁甗錡、摧崣崛崎」（上林賦）と怒涛の山ラッシュを見せる。読めなくとも、**字のビジュアルだけで、なんかわかる**ものがある。

今度は詩。読み人知らずの「**古詩十九首**」から。

生年は百に満たざるに　常に千歳の憂を懐く
（生きられるのは百年に満たないのに、はるか先のことまで考えて心配ばかり）
昼短くして夜の長きに苦しまば　何ぞ燭を秉りて遊ばざる
（昼は短く夜は長いと嘆くなら、あかりを灯して遊べばよかろう）
楽しみを為すは当に時に及ぶべし　何ぞ能く來茲を待たん
（時を逃さず今こそ遊べ、来年なんて待っていられない）
愚者は費を愛惜し、但だ後世の嗤ひと為るのみ
（愚か者は金をケチって貯めこむが、後世笑われるだけだ）
仙人王子喬　与に期を等しくすべきこと難し
（かの仙人王子喬と同じくらい生きるのは難しいぞ）

人生なんていつ終わるかわからない、時を逃さず今遊べ、金を惜しまず今遊べ、という詩。よき。名詩中の名詩。この詩の一つ前には、「去る者は日に以て疏く、来る者は日に以て親し」で有名な詩もある。もう帰る道がわからなくなった悲しみを歌ったもの。

新に裂く斉の紈素、皎潔にして霜雪のごとし。（新しく斉の白絹を裂く。白く清らかまるで霜雪）
裁ちて為る合歓の扇、団団として明月に似たり。（裁って団扇をつくる。まん丸で満月みたい）
君の懐袖に出入し、動揺して微風発す。（あなたの袖懐に出入りして、ゆらゆら微風を送る）
常に恐る秋節の至りて、涼風炎熱を奪ふを。（どうしよう、涼やかな秋風が暑熱を冷ましたら）
篋笥の中に棄捐せられ、恩情中道に絶えん。（きっと箱にしまわれて、恩愛も絶えるでしょう）

最後は、漢の宮女**班婕妤**の閨怨詩「**怨歌行**」。彼女は、班彪の叔母（班固・班超・班昭の大叔母）に当たる。成帝の寵愛を受けたが、のち寵愛が趙飛燕に移ったのを機に後宮を離れた。この詩では、秋になったらしまわれる団扇に自分を喩えて、捨てられる怨みを歌い上げる。作者については諸説あるけれど、心打つ詩だ。

どこを開いても名詩文しかない『文選』は、きっとあなたも虜にする。

この本のポイント

❶『文選』は、梁の文学サロンでつくられた、現存最古の詩文アンソロジー。
❷当時のオールタイム・ベストの美麗な詩文を七六三篇採録。詩と賦が中心。
❸手に取るなら、大部だけれど、詩も賦も両方味わえる明治書院版がオススメ。

42『唐詩選』

李攀竜

『唐詩選』前野直彬 注解／岩波文庫

唐詩アンソロジー。取り上げる詩人の数は一二八人。採録した詩の数は四六五首。荻生徂徠が推して以来、日本でも大流行し、やがて『三体詩』を駆逐した。現在も続く「盛唐詩＝詩の絶頂」という位置づけを浸透させた。

文字量 ■■■　難易度 ???

李攀竜（1514～1570）：明（1368～1644）の人。「文は必ず秦漢、詩は必ず盛唐」を唱えた李夢陽ら「前七子」＝古文辞派の主張を継ぎ、王世貞らとともに「後七子」と称し、擬古主義の作風で一世を風靡した。

「盛唐」の詩人が中心の唐詩アンソロジー

漢文・唐詩・宋詞・元曲・明清小説――。漢代は「散文」、唐代は「詩」、宋代は「詞」、元代は「曲」、明清代は「白話小説」が、それぞれ文学の代表だという意味。中でも、愛好者がとりわけ多いのが「唐詩」だ。

六朝詩も宋詩も元詩も明詩もあるのに、唐詩ばかりが愛される。岩波文庫でも、「詩選」が出ているのは、杜甫、李白、王維、白居易、李賀、杜牧、李商隠など、唐の詩人ばかり。一部、六朝の陶淵明（こちらは全集）や宋の蘇軾・陸游がある程度だ。

最盛期の詩を集めた唐詩選

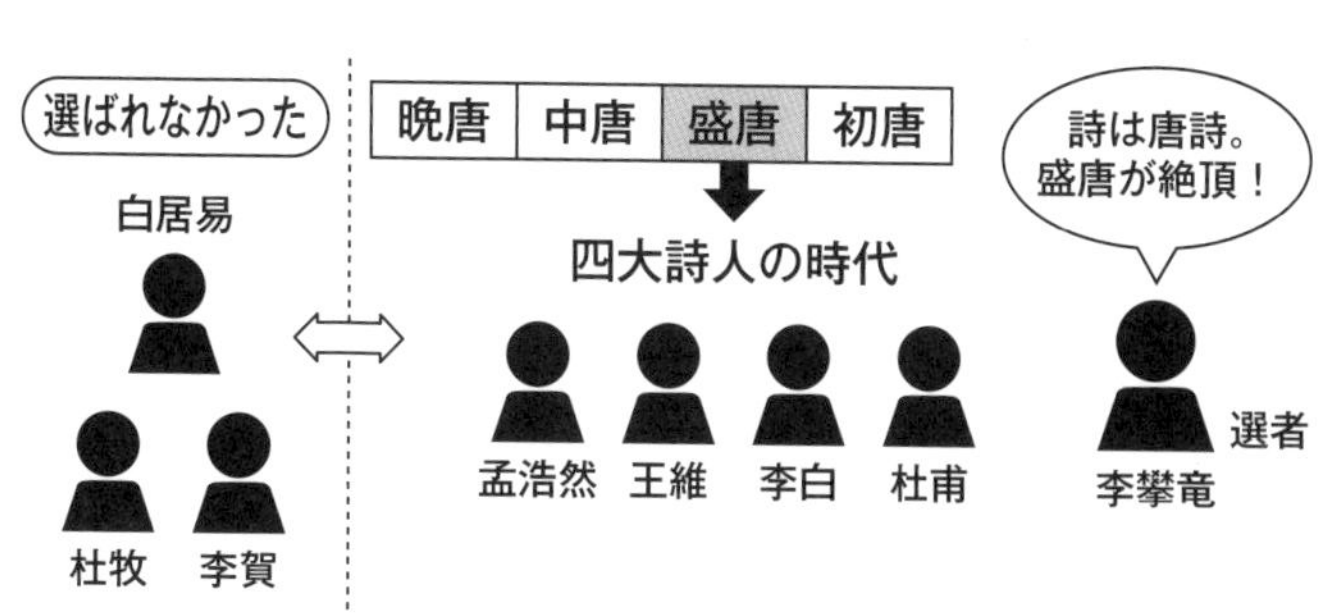

そんなわけで、中国古典を語るうえで**唐詩は外せない**。

といっても、唐の詩人は二千人を超えるし、その詩は五万首ほど。読んでいられない。だから、多くの唐詩アンソロジーが編まれた。

『唐詩選』は、そのうちの一つだ。

選者は、明（一一二六八〜一一六四四）の**李攀竜**とされている。彼は、「**文は必ず秦漢、詩は必ず唐詩**」を唱えた**古文辞派**を継ぎ、唐詩を範とする（というか模倣する）擬古主義の作風で一世を風靡した。蘇軾の「赤壁の賦」とか、梅尭臣（ぎょうしん）の「猫を祭る」とか、宋詩にも名作はあるのに、古文辞派は**読むに値しない**と切り捨てる。また唐詩の中でも、**盛唐の詩こそが唐詩の絶頂だ**と主張した。

盛唐とは、唐詩の歴史を**初唐・盛唐・中唐・**

晩唐の四期に区分したうちの一つ。名前の通り、詩は初唐に始まり、盛唐で最盛期を迎え、中唐・晩唐に衰えていったと見なす。盛唐は、杜甫・李白・王維・孟浩然、いわゆる「四大詩人」が揃い踏みしたスゴい時代だ。

『唐詩選』は、この考えに沿って、全四六五首のうち、杜甫五十一首、李白三十三首、王維三十一首、岑参（しんじん）二十八首など、盛唐の詩を数多く選び、衰退期と見なした中唐・晩唐の詩人については、韓愈一首、李商隠三首、白居易・李賀・杜牧に至ってはゼロ。**日本人がこよなく愛する白居易の作品がなんとゼロ**だ。

『唐詩選』について語るときは、「**白居易や李賀が入っていないのは理解に苦しむよね**」と一言添えるといいだろう。

眠気に襲われるたび誰もが口にする、孟浩然の「**春暁**」。

春眠暁を覚えず　処処啼鳥（ていちょう）を聞く

（春の眠りは心地よく、夜明けに気づかず寝過ごした。あちこちから、もう鳥の鳴き声が聞こえてくる）

もちろん採録されているけれど、でも、孟浩然は七首だけ。次は李白。

白髪三千丈　愁に縁りて箇くの似く長し
（白髪がめっちゃ長くなった。憂いばかりでこんなにも白髪が長くなったのさ）

「知らず明鏡の裏　何れの処にか秋霜を得たる（鏡に映る自分の姿、知らんうちになんでこんなに老けてるの）」と続く。歳をとると、よく理解できる詩だ。

と、杜甫・李白・王維を中心に**盛唐の詩を存分に楽しめるのが**『**唐詩選**』だ。

逆に、白居易・杜牧を含め、唐詩をバランスよく楽しみたいなら『**唐詩三百首**』。清の蘅塘退士選。七十七人・全三一〇首。中唐・晩唐の詩人を楽しみたいなら『**三体詩**』。宋の周弼選。七言絶句・七言律詩・五言律詩の「三体」に絞った選集で、一六七人・四九四首。杜甫・李白は一首も収められていない。ほかに唐詩を根こそぎ収める『**全唐詩**』もある。清の康熙帝勅撰。二千二百人超・五万首弱。ただし訳本がない。

この本のポイント

1. 『唐詩選』は、盛唐の詩人を中心にまとめた唐詩アンソロジー。
2. 中唐・晩唐の詩人を認めない。白居易・李賀・杜牧が入っていないのは理解不能。
3. 抄訳なら角川ソフィア文庫版。岩波文庫版と明治書院版は全訳。

43『捜神記』

干宝

書名は、神道を捜し求める記録。神道とは、『易経』の「天の神道を観るに、四時忒わず」の神道で、「人間には計り知れない摂理」のこと。不可知・不可思議な現象を神道と呼び、その真実性を明らかにするために記録を集めた。

『捜神記』竹田晃 訳/平凡社ライブラリー

文字量 📖📖📖　難易度 ???

干宝(?〜336):東晋(317〜420)の人。そもそも歴史家。『晋紀』を編纂した。自らの不思議体験を機に『捜神記』を著述。宰相劉惔に見せると、「鬼の董狐(幽霊界の大歴史家)」と絶賛されて宮廷サロンデビューした。

怪力乱神を大いに語る——志怪小説

「**志怪**」とは「**怪を志す**」、「**小説**」とは「**取るに足らない小さな話**」を意味する。経書や史書に対し、事実かどうかも不明な、根拠薄弱、荒唐無稽、総じて怪しげな話を「小説」と呼んだ。いまみたいに「散文形式の創作物」を意味しない。

噂話レベルの人物批評や逸話や笑話を「**志人**(**人を志す**)**小説**」、神仙、方士、神いろいろ、占い、吉兆・凶兆、予知夢、運命、異類婚姻譚、幽霊、妖怪、超自然現象など、広く怪異を記録したものを「**志怪小説**」という。『捜神記』はその代表だ。

著者干宝は、幼少のころ、こんな経験をした。なんと正史『晋書』に載る話だ。

彼の父が女中に手を出した。母は嫉妬し、父が亡くなると、彼女を父の棺と一緒に墓に閉じ込めた。十数年後、母が亡くなり、墓を開けると、彼女は生きていた。土の中にいる間、生前と同じく父が飲食の面倒をみてくれたとのこと。彼女は百発百中で吉凶を言い当てられるようになり、**土の中も悪くなかった**とか言う。やがて嫁に行き、子を産んだ。

干宝は、序文で、「**神道（人間には計り知れない摂理）が虚妄ではないと明らかにする**」ためにこの書を著したと明言する。彼は自分の体験が「虚妄ではない」と証明するために、根気よく怪異の記録を集めたのだ。

記録だから、話は雑多。オチも筋もない。でも、オチをつけ、ディテールを加え、完成度を上げたら**つくり話になる**。心霊映像も、出来がよすぎると、興醒めだ。「頭が二つある子どもが生まれた」だけで、オチもなく唐突に終わるからこそ、事実な感じがして楽しめる。

『捜神記』は日本文学に影響を与えた。たとえば、曲亭馬琴『南総里見八犬伝』冒頭。

安西景連の大軍を前に絶体絶命の里見義実は、愛犬八房に「敵将安西を食い殺したら、軍功第一だ。わが娘の伏姫と結婚するか」と冗談を言った。その夜、八房はみごと安西の首を咥えて戻ってきた。伏姫を求める八房、怒る義実。伏姫は、君主に二言はないと父を諫め、八房と添い遂げることにし、ともに富山（千葉県南房総市）に登って暮らした。

神秘体験が執筆のきっかけ

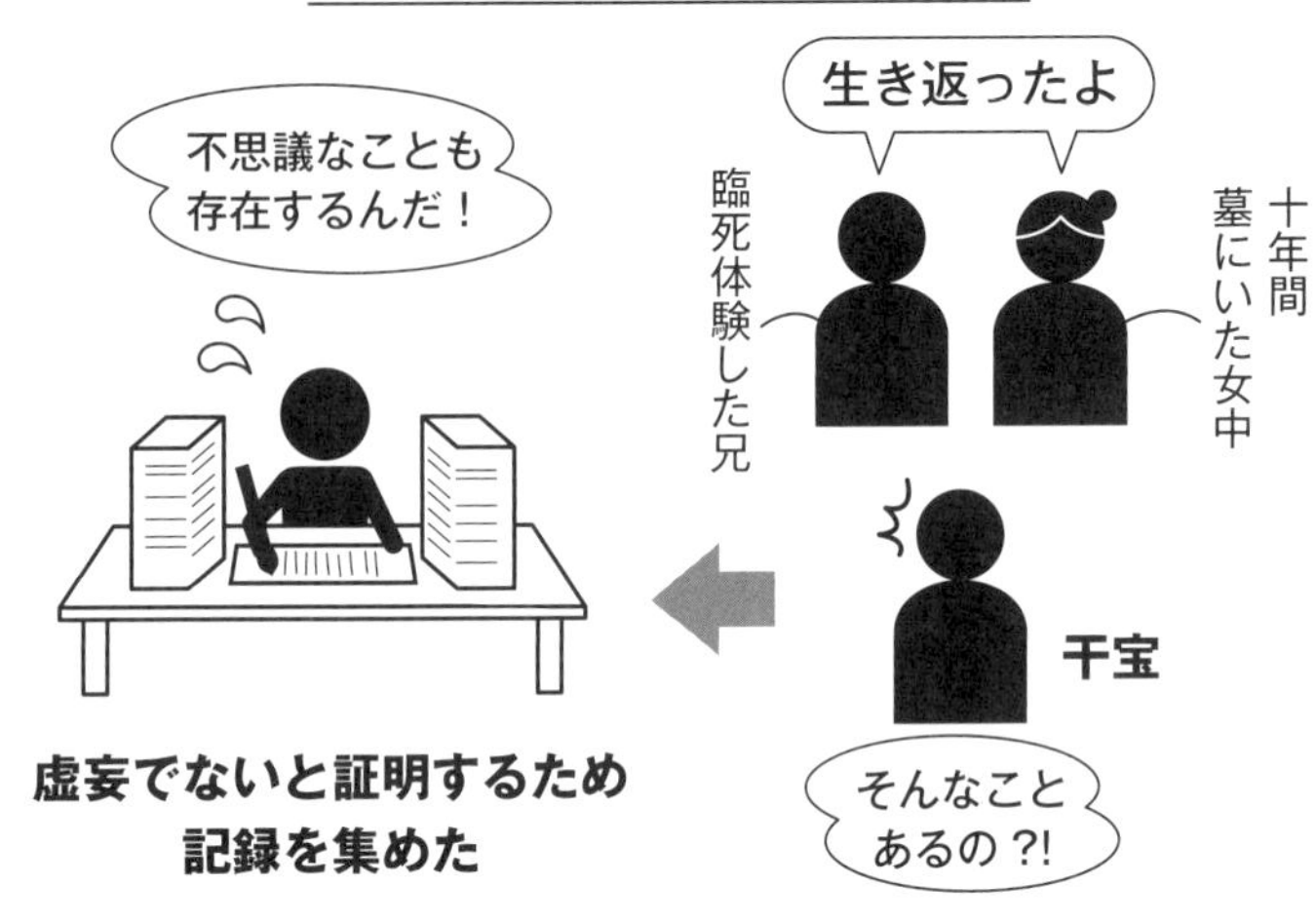

元ネタは『捜神記』だと馬琴自ら明かす。

高辛氏（五帝のひとり帝嚳）は、異民族の侵入に苦しみ、「敵将の首を取った者には、金千斤、万戸の領地、わが娘を与える」と天下に布告した。すると、五彩の毛並みを持つ盤瓠という名の犬が、敵将の首を咥えて王宮に入ってきた。犬に金、領地、まして姫は与えられない。約束を反故にせよと迫る家臣たち。娘は「陛下は天下に約束しました。盤瓠が国家のために敵を滅ぼせたのは、天命があったからでしょう。『王者は言葉を重んじ、覇者は信義を重んず』と言います。約束は破ってはなりません」と父を諫め、盤瓠と添い遂げることにし、ともに南山に登って暮らした。

違うのは、八房が純潔を守ったのに対し、盤瓠は**三年で六男六女をもうけた**ところ。

最後に中国四大昔話の一つを。のちに「**天仙配**（てんせんばい）」として**演劇や小説の元ネタになった**。

孝子の董永（とうえい）は、父が亡くなると、身を売って葬式代にした。彼を買った主人は彼に一万銭を与えて郷里に帰らせた。董永は三年の喪を終えると、主人のもとに戻った。途中、女性から求婚されて結婚した。戻った董永に主人は、金はあげたのだと言ったが、董永は恩を返すと譲らない。主人は、董永の妻は機織りが得意だと聞き、百疋（ぴき）（服二百着分）の布を織ってもらうことにした。彼女はたった十日で織り上げ、主人に手渡すと、董永に「私は実は天の**織姫**です。天命を受け、あなたを助けに来たのです」と言って空へ舞い上がり、そのまま消えた。

え？　消えちゃ付うの？　いきなり妻を失った董永の心は？　彼に代わって借金を返すだけなら結婚しなくてよくない？　この**粗さが『捜神記』の魅力**だ。粗いからこそ、ディテールを加えて、物語として完成させたくなるのだ。こうして後世、日中両国の文学に大きな影響を与えた。

この本のポイント

❶『捜神記』は志怪小説。「怪力乱神」の記録を集めたもの。創作ではない。

❷著者干宝は、世のオカルト現象が虚妄ではないと証明するために記録を集めた。

❸『列異伝』『幽明録』『博物志』『述異記』『神仙伝』などを六朝志怪と総称する。

44『剪灯新話』

瞿佑

明初に現れた怪奇小説。中国人・日本人の心をつかみ、中国では、『聊斎志異』『子不語』『閲微草堂筆記』といった文言怪奇小説の系譜を生み、日本では、江戸時代に、仮名草子・読本・歌舞伎・浄瑠璃・講談・落語と広く影響を与えた。

『剪燈新話』飯塚朗 訳／東洋文庫

文字量

難易度

瞿佑(1347～1427)：元末明初の人。詩人としての才を早くに認められたが、生涯不遇だった。『剪灯新話』は、色気ある文体と色情的な内容で人気を博すが、当局から発禁処分を受けて中国では散逸。日本から逆輸入された。

夜ふかし必至の怪奇小説集

「剪灯」とは、灯芯を剪（き）って明るくし、夜ふけに読む本という意味。**怪奇に色恋を絡めたエロめの短編を集めたもの**。全四十巻だったが、**発禁処分**を受けて散逸し、今は四巻二十一篇しか伝わっていない。文語（書き言葉）で書かれた「**文言小説**」で、口語（話し言葉）で書かれた「白話小説」の『三国志』や『水滸伝』とはまったく異なる。『捜神記』を筆頭に『列異伝』『博物志』『述異記』などを「**六朝志怪**」と総称する。いずれも「子は語らず」とされた「怪力乱神」を記録したものだ。記録なので、筋やオチはない。

六朝志怪・唐宋伝奇から、明清文言小説へ

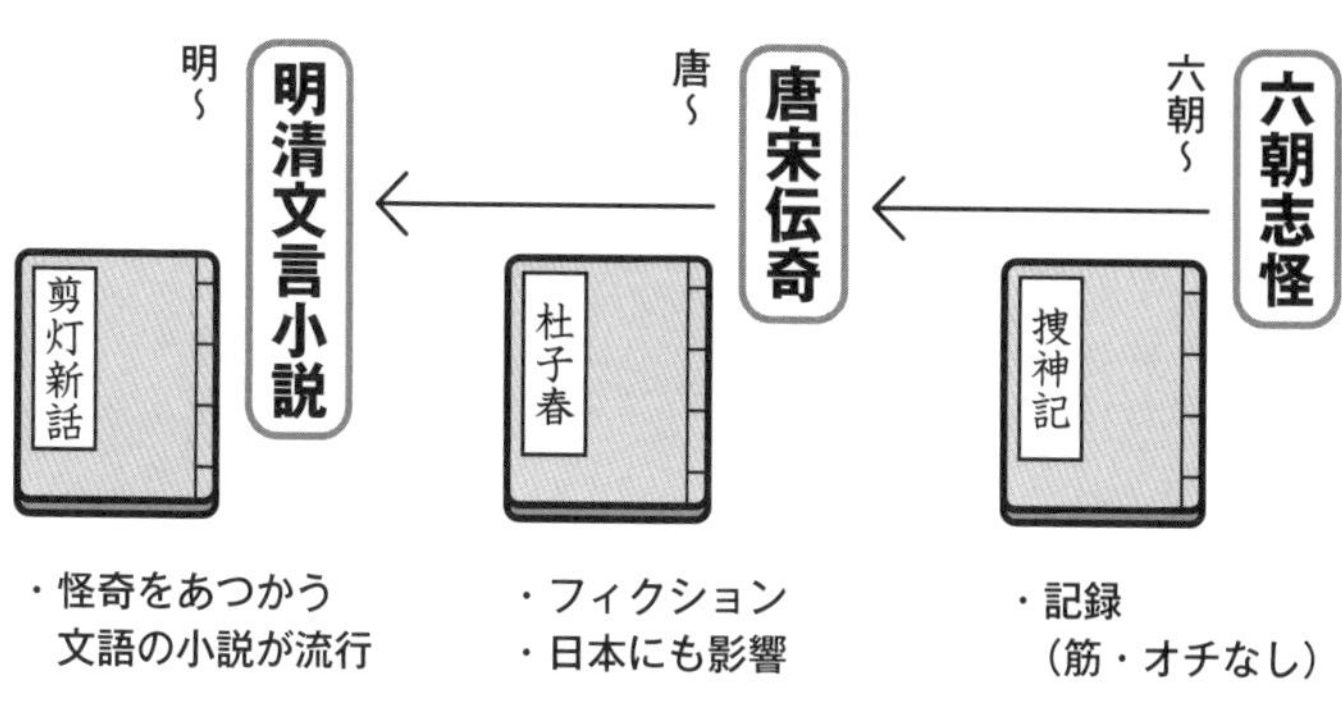

唐以降、この志怪を元に創作作品がつくられた。「遊仙窟」「鶯鶯伝」「杜子春」「人虎伝」などで、これらを「**唐宋伝奇**」と総称する。こちらは**フィクション**であり、**小説**（散文体の創作物）である。ディテールは豊か、筋は通っていて、オチもある。その不思議な物語は、特に日本の読者を魅了し、後世の作家に多くのインスピレーションを与えた。たとえば、「杜子春」は芥川龍之介が翻案してその名も「杜子春」に、「人虎伝」は中島敦が翻案して「山月記」になった。

伝奇小説は、唐代に盛んに書かれたけれど、宋・元の間にいったん廃れた。そしてその伝統を継いで明初に登場したのが瞿佑の『剪灯新話』だ。**文語で書かれた六朝志怪・唐宋伝奇に倣って文語（四六駢儷体）で書かれた。**

中でも「牡丹灯記」は、特に**三遊亭円朝の人情噺「牡丹灯籠」の元ネタ**として有名だ。

明州では、毎年正月十五日に灯籠祭りが開かれていた。妻に先立たれた喬生(きょうせい)が灯籠見物にも行かず、家の前にたたずんでいると、牡丹灯籠を掲げた女中とその主人らしき美女が見えた。喬生は彼女を誘い、一晩をともにした。その後、彼女は、毎晩、やって来るようになった。半月後、不審に思った隣人が壁に穴をあけて覗くと、そこにはお化粧した骸骨とイチャコラする喬生の姿が。翌朝、隣人は喬生に忠告。喬生は調査し、湖心寺に安置された棺に彼女の名前を見つけた。恐ろしくなり、道士の魏法師を頼ると、彼は二枚の護符を与え、二度と湖心寺に近づくなと警告した。これで怪異は収まったが、喬生が酔った拍子に湖心寺の前を通ると、あの少女が立っていて、「薄情な方ですね」と言うや、寺中に引きずり込んだ。奥には彼女が待っており、「あなたの心に感じて身を許したのに」と責め、彼の手を引いて棺の前に連れていくと、棺の蓋が開き、二人はたちまち中に吸い込まれ、蓋は閉じ、喬生は死んでしまった。喬生ら三人は幽霊として出没するようになる。その姿を見た者は病気になり、中には死ぬ者も現れた。人々は魏法師に助けを求めたが、彼は自分にはどうにもならないと幽霊退治のプロ鉄冠道人を紹介した。人々に請われ、鉄冠道人は湖心寺を訪れ、六人の屈強な符吏(使い魔や式神の類)を召喚し、喬生らをとらえて、散々に打擲してから地獄に落とした。

怖い。喬生そこまで悪いことしてなくない？　取り憑いた彼女もただ愛が欲しかっただけなら同情の余地もあるし。さんざん折檻されてからの地獄行きはかわいそすぎる。

印象的なのは、棺の蓋が開いて喬生が吸い込まれ、そしてバタンと閉じるところ。最後に、ゴーストハンター鉄冠道人が符吏を召喚し、幽霊化して人々に害悪をもたらす喬生たちを退治するところも、話として面白い。いろいろ翻案したくなるのもわかる。

『剪灯新話』の後、怪奇を主題とした文言小説が流行し、蒲松齢の『聊斎志異』や袁枚の『子不語』、紀昀の『閲微草堂筆記』などが次々と生まれた。

また、**室町時代に日本に伝わり、江戸文学に大きな影響を与えた**。超訳したもの、翻案したもの、下敷きにしたものが、林羅山『怪談全書』、浅井了意『伽婢子』、都賀庭鐘『英草紙』、上田秋成『雨月物語』などに採録された。その影響は、仮名草子・読本にとどまらず、歌舞伎、浄瑠璃、講談、落語に及んだ。

この本のポイント

❶『剪灯新話』は怪奇小説集。唐宋伝奇の影響を受けて文言で書かれた。
❷怪奇と色恋を四六駢儷体の美文で描く。中国では発禁処分を受けた。
❸「牡丹灯記」は日本人に愛され、古今亭円朝の傑作「怪談牡丹灯籠」を生んだ。

45『聊斎志異』

蒲松齢

『聊斎志異』黒田真美子 訳／光文社古典新訳文庫

六朝志怪、唐宋伝奇、そして『剪灯新話』の後を受けて生まれた文言怪奇短編小説集。幽霊、怪物、仙人、仙女、道士、ゾンビに異類婚姻譚。上田秋成、芥川龍之介、太宰治らも翻案した、感情を揺さぶる不思議話にあふれている。

蒲松齢(1640～1715)：清(1644～1912)の人。19歳で童子試(科挙の第一段階)に首席合格したが、21歳から約40年間も郷試(科挙の第二段階)に落第し続ける。塾講師をしながら執筆活動をし、『聊斎志異』を生んだ。

文字量  

難易度   

不可解すぎて怖い

蒲松齢は、何度も科挙(官吏登用試験)に落第し、挫折を味わった知識人。**生まれつき怪異譚が好きで、人から聞いては記録しているうちに、あちらこちらから送られるようにもなって、どんどん増えた**という。その数、四九四篇。

『聊斎志異』の手頃な訳本には、岩波文庫版と光文社古典新訳文庫版があるけれど、どちらも抄訳。後者は四十三篇で、およそ十分の一しか採録されていない。でも、訳者選りすぐりの四十三篇で、どれも一級品。玉石混交の全訳本よりオススメだ。

収められているのは、こんな話。まず「野狗（やく）」から。

時は清初。于七なる人物が反清興漢の乱を起こし、清軍が凄惨な弾圧を加えた。村民の李化龍はたまたま清の大軍と出くわし、やむなく野を埋め尽くす死体の中に隠れた。軍隊が通り過ぎても、彼はしばらく動かなかった。すると、首や腕のない死体が次々立ち上がり、口々に「野犬の怪物が来たらどうしよう」とか呟いている。突然、死体が一斉に倒れ、物音一つしなくなった。李は怯えて立ち上がろうとしたが、そこに獣頭人身の怪物がやってきて、次々と死体の頭に噛みついては、脳みそをすすりはじめた。李は死体の下に頭を隠したが、怪物は近づいてきて李の肩をつかんだ。必死に死体の下に潜りこむ李。怪物は死体をどけ、李の頭を露わにした。絶体絶命のピンチ。腰の下を探ると、茶碗大の石があったので、李はそれを握りしめ、怪物が彼の脳みそをすすろうと口を近づけた瞬間、がばと立ち上がり、その口に一撃。怪物は苦鳴を挙げ、口を押さえて逃げ去った。途中、血を吐いた痕があり、そこには四寸余りもある牙が二本残っていた――とさ。

これで終わり。怪物の正体はわからないし、死体が起き上がった理由も、その後どうなったかも不明。勧善懲悪とか、そういった筋立てもない。この意味不明さ。『捜神記』の趣がある。

怪異譚コレクター蒲松齢

訳者によれば、同じ文言怪奇短編小説集の紀昀『閲微草堂筆記』は、紀昀が高級官僚だったからこそ「勧善懲悪の鎧をまとい、学者の筆のすさびよろしく、教訓的、啓蒙的姿勢で、鍛え抜かれた端正な古文を駆使」するのに対し、『聊斎志異』は「高級官僚ではない市井の立場から、俗語や方言も交えて現実と人間を生々しく描こう」とした結果、「独自性を発揮し、広く共感をもって読み継がれ、後世に影響を与え」たという(解説)。

たとえば、「画皮」は「牡丹灯記」を思わせる展開だ。身売り先から逃げてきたという美しい娘に一目惚れし、匿う王某。妻ある身ながら彼女を奥の間に隠し、関係を持ち続けた。そして、たまたま町で出会った道士から、「取り憑かれておるぞ」と告げられる。

実は娘はギザ歯の怪物で、人間の皮に絵を描き、服を着るようにその皮を羽織って、娘に化けていたのだ。王は道士に魔除けの払子をもらったが、怪物は王の腹を裂き**心臓を持ち去る**。妻の陳氏から報せを受けて道士は怪物を退治し、**夫を生き返らせてほしい**と願う彼女に、町にいる狂った物乞いに頼めばなんとかなる、ただどんな侮辱を受けても怒るなと告げた。陳氏は物乞いに頼むが、杖で何度も殴られたうえ、手のひら一杯に吐いた痰を食えと言われる。道士の言葉に従い、屈辱に耐えて呑み込んだが、物乞いは大笑いし、「こんな別嬪が俺を好きだってよ」と言い残して消える。陳氏は絶望して帰宅し、泣きながら夫の腹に腸を入れていると、不意にその中に吐いてしまった。ところが、**そこには心臓が**！　そうして王は生き返った。

王某が惨殺されるのも驚くけれど、怪物が退治されたところでオチかなと思ったら、さらに陳氏が物乞いに散々に苛まれる場面が続く。このイジメの意味もわからない。で、結局、痰が心臓になって王は復活する。**このわけのわからなさが『聊斎志異』の魅力だ。**

この本のポイント

❶『聊斎志異』は、『剪灯新話』を継ぐ文言短編怪奇小説集で、その最高峰。
❷袁枚『子不語』や紀昀『閲微草堂筆記』など、怪奇小説ブームを生んだ。
❸日本人にも愛されて、上田秋成、芥川龍之介、太宰治らが翻案した。

46『棠陰比事』

桂万栄

推理小説とも紹介される。犯人の嘘を見抜いたり、智謀と策略で犯人を追い詰めたり、やむをえず罪を犯した民を救ったり。名探偵・名裁判官が活躍。日本人を魅了し、『大岡政談』など江戸文学に影響を与えた。

『棠陰比事』駒田信二 訳／岩波文庫

文字量 難易度

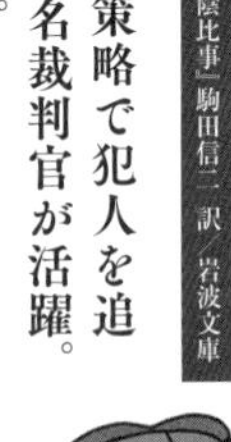

桂万栄（生没年不詳）：南宋（1127～1279）の人。正史に伝はなく詳細不明。棠陰比事は144話。元ネタの『疑獄集』と『折獄亀鑑』は各206話と366話。やや多すぎる。のち『龍図公案』などの公案小説に影響を与えた。

名裁判・名捜査・名推理の実例集

「棠陰」とは、甘棠（やまなしの木）の木陰を意味する。**周の召公奭**（周公旦の弟）**が、甘棠の木陰で民の訴えを聞き、公平に裁判をし、民がその徳を慕って、のちのちまで甘棠を大切にした**という故事にちなむ。「棠陰」は、ここでは「名裁判」といった意味。

「比事」とは、事を比べること。対比・比類の比に当たる。『棠陰比事』は、同類の裁判例を二つずつ並べ、「向相訪賊、銭推求奴」「曹攄明婦、裴均釈夫」といった四字句の対句・韻文で標題をつける（「奴」と「夫」で韻）。だから「比事」。『蒙求』と同じ形式だ。

編者の**桂万栄**は、かつて典獄の孫起予という人物から、こんな話を聞いた。下役人が何者かに殺された。目撃者はいない。捕吏がいちはやく犯人を捕らえ、証拠もそろえ、共犯者三人も含め、みな罪を認めた。孫は納得できず、処刑の延期を申し入れ、捜査を進めると、真犯人が見つかった。あやうく四人の無辜の民を無実の罪で死なすところだった。

桂万栄はこの話を忘れられず、和凝・和㠓父子の『疑獄集』、鄭克の『折獄亀鑑』をもとに、『棠陰比事』を編集した。どちらも、名裁判・名捜査・名推理の記録であり、そこから一四四例を取り上げて整理し、のちの裁判関係者に参考にしてもらおうとしたのだ。

たとえば、こんな感じ。『棠陰比事』の「孫登比弾」から。

> 呉の孫登（孫権の長子）が馬で出かけたところ、弾き弓に狙撃された。左右の者に辺りを探らせると、弾き弓を持つ怪しい男が。みな犯人だと思ったが、本人は違うの一点張り。苛立った側近が打ちすえようとしたが、孫登はそれを止め、飛んできた弾丸を探させた。弾丸は見つかり、彼が所持していた弾丸と比べてみたところ、別物だったので、容疑は晴れた。鄭克は言う。裁判をする者は、相手の言い分を聞かず、かっとなって威圧し、無実の罪を認めさせてしまうことがある。

この話は、物証（ハード・エビデンス）の大切さではなく、捜査する側が、疑わしいというだけで犯人を決めつけ、相手の言葉に耳を傾けず、激しい言葉や暴力で脅して、無実の罪を認めさせてしまう、という**冤罪が生まれる構造**を指摘したもの。そっち？　と思う。

次は「梁適重詛（りょうせきちょうそ）」。僕らの常識では理解できない。でも、そこが面白い。

妖術者の白彦歓（はくげんかん）は呪いで人の命を奪っていた。州の役所は中央に判断を仰いだ。中央の評議官は、（白彦歓は呪いで人を殺したとしても、直接に）人を傷つけてはいないので、どう裁くべきか迷った。丞相の梁適は、「刃物で殺してくるなら防ぐこともできようが、呪いで殺してくるなら逃れようもない」と言い、死罪とした。

呪詛で人を殺害した容疑で白彦歓は死罪になった。僕らの感覚では、**そもそも呪詛なんて存在しない**から、そんな罪状で処刑なんて論外だ。ところが、この続きで鄭克は、「**法律がないなら類を以て断ずべき**」であり、（焼けた釘を脳天に打ち込もうが、人を呪い殺そうが）殺人は殺人だから死刑と判断した梁適を激賞し、「傷つけていないから」という理由で死刑をためらった評議官を非難する。**論点はそっちなんだ**と驚く。呪いの有無や実証可能性ではないんだと。

最後は「黄覇叱姒（こうはしつじ）」。

潁川に裕福な家があり、兄弟が同居していた。弟嫁と兄嫁がともに懐妊したが、兄嫁は流産。でも彼女はそれを隠し、弟嫁が男の子を出産すると、奪って自分の子にした。それから二人は三年間も言い争い、ついに太守の黄覇に訴え出た。黄覇は、部下に庭の真ん中でその子を抱かせ、二人に奪い合いをさせることにした。いきなり子どもをひったくろうとする兄嫁。子が手を痛めやしないかと心配で悲しそうな顔をする弟嫁。黄覇はその様子を見て兄嫁に言った。「おまえは財産目当てでその子を自分の子にしようとしている。だから子どもが傷つこうが傷つくまいが気にもしないのだ」と。兄嫁は罪に服した。

子どもの引っ張り合いをさせて先に手を離したほうを実の母とする「大岡裁き」を思い出したはず。『棠陰比事』は、同じ裁判物の『竜図公案』とともに、井原西鶴『本朝桜陰比事』、曲亭馬琴『青砥藤綱模稜案』、講談『大岡政談』など、江戸文学に大きな影響を与えた。

この本のポイント

❶『棠陰比事』は名裁判・名捜査・名推理の実例集。推理小説の趣がある。
❷誤った裁判で無辜の民を傷つけないよう、後世の裁判官たちのために編纂した。
❸井原西鶴や曲亭馬琴、講談『大岡政談』など、江戸文学に多大な影響を与えた。

47『三国志演義』

羅貫中（らかんちゅう）

宋代の講談から発展して生まれた明清白話小説。特に四大奇書には、英雄、豪傑、智将、妖術使い、それにスーパーパワーを持つ猿だの豚だのも登場し、ハリウッド映画のよう。『三国志演義』は中でも最も日本人に愛好された。

『三国志演義』立間祥介 訳／角川ソフィア文庫

文字量

難易度

羅貫中(生没年不詳)：元末明初の人、三国志演義・水滸伝の作者、詳細不明。施耐庵も元末明初の人、三国志演義・水滸伝の作者、詳細不明。呉承恩は明の人、西遊記の作者。笑笑生は金瓶梅の作者。正体不明。いずれも異説あり。

人気の講談が読み物に

『剪灯新話』『聊斎志異』という**文言小説**の流れに対し、明代には、識字層の大幅な増加を受け、**口語体**の**白話小説**が流行した。

中でも、日本で最も人気があるのが、**『三国志演義』**だろう。

宋代に盛り場で語られていた三国志ネタの講談「**説三分**」を、元末明初に読み物としてまとめ、長編小説に仕立てたものだ。まず元代に『**全相平話三国志**（**三国志平話**）』という原型が生まれ、明代に**羅貫中が**『**三国志演義**』**をまとめた**とされる。

四大奇書の成立

「**四大奇書**」とは、『**三国志演義**』『**水滸伝**』『**西遊記**』、そして『**金瓶梅**（きんぺいばい）』の四つ。これらは、**通俗白話長編小説**であり、**章回小説**である。

章回小説とは、「第一回……」「第二回……」とタイトルをつけながら、回を重ねて進行するもので、たとえば、『三国志演義』第一回のタイトルは、「第一回　宴桃園豪傑三結義　斬黄巾英雄首立功（桃園に宴して豪傑三（さん）義を結び　黄巾を斬りて英雄首（はじ）めて功を立つ）」である。回の終わりは、次回への引きになっていて、「はてさて、〇〇はどうなるでしょうか。**且聴下文分解**（それは次回の講釈で）」と結ぶ。これは、講談の常套句であり、そのなごりだ。そして、こうした比較的短い回を重ねて一篇の長編小説となる。

『三国志演義』は全一二〇回。魏の曹操、蜀の劉備、呉の孫権が三国に分かれて覇を争った三国時代を舞台に、英雄・豪傑・智将の活躍を「**七実三虚**」で描いた物語である。

正史の『三国志』では魏を正統と見なしたが、講談では**劉備人気が圧倒的で**、**曹操は嫌われ者**。子どもたちは、曹操がやられると歓声を挙げ、劉備がピンチに陥ると悲鳴を挙げた。**南宋の朱熹が**『**資治通鑑綱目**』**で蜀を正統としたこと**から、『三国志演義』は史実として蜀を正統王朝として描いている。

三国志演義の成り立ち

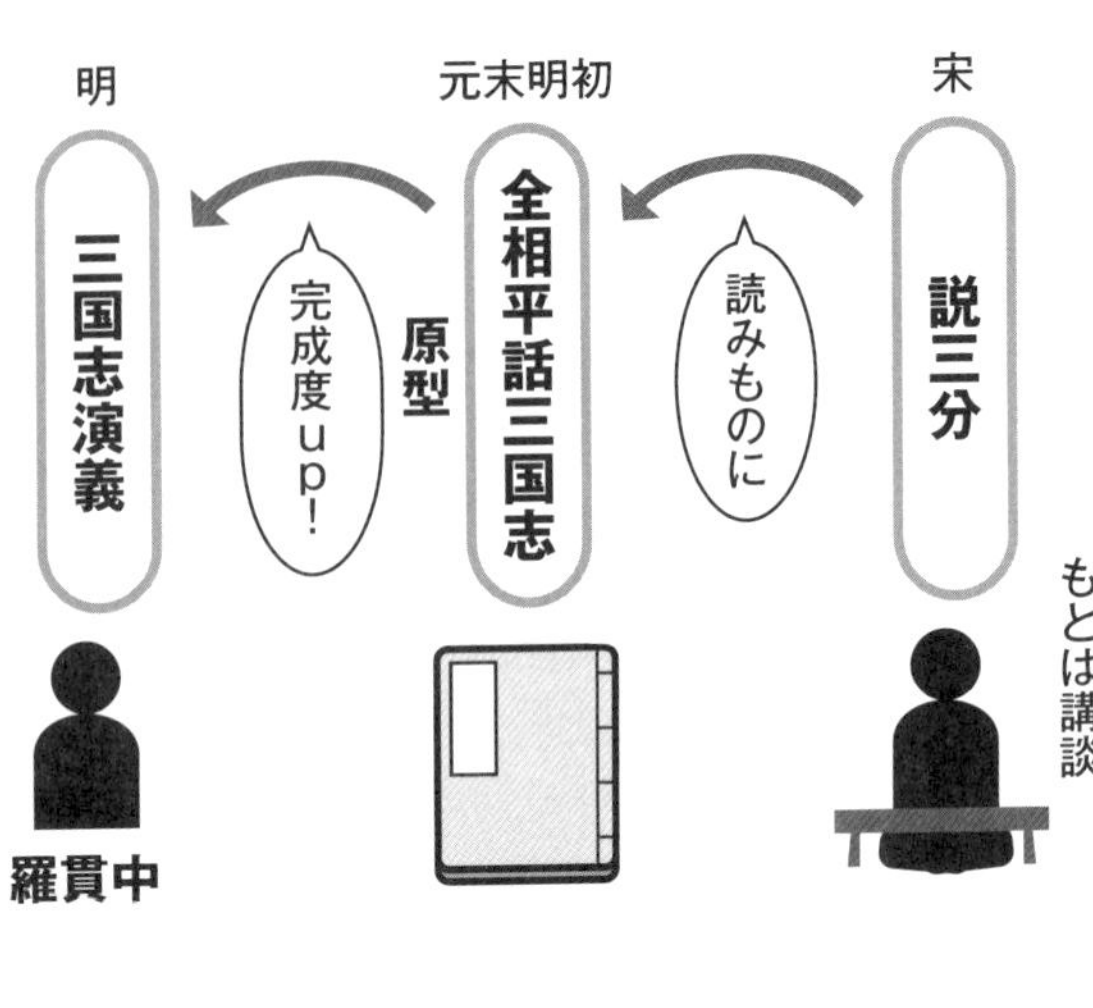

僕らはアクション映画やSF映画が好きで、スーパーヒーローが大好きだ。

『三国志演義』では、劉備側の猛将張飛や軍師諸葛亮が超人的な活躍をし、曹操という凶悪なヴィランを打ち破る。諸葛亮が呉のイケメン周瑜と組んで曹操の大軍をジャイアントキリングする**赤壁の戦い**は、この作品のハイライトだ。

『三国志演義』は、その後、蜀がはかなく敗れていくのもいい。関羽が死に、劉備が白帝城に倒れ、諸葛亮が魏の司馬懿を前に志を果たせず散る。読者は、推しが傷つき倒れていく姿に同情し、心を揺さぶられる。

『**水許伝**』は、宋の時代を舞台に、李逵、楊志、魯智深、武松、史進、花栄ら好漢・悪漢一〇八人の活躍を描いたもの。

中でも三十六人のメインキャラは個性が際立つ。パワフルで、超人的で、ものすごく強い。妖術を使う者もいる。それぞれの逸話が描かれたあと、梁山泊に集結し、強大な敵（北方の遼や南方の方臘）に立ち向かうあたりは、さながらアベンジャーズだ。

『**西遊記**』も、僧侶の玄奘三蔵（映像化したときはなぜか女性が演じがち）が、サルとブタとカッパをおともにインドまで仏典を取りに行く話（西天取経説話）で、途中、妖怪だの何だのが次々と襲いかかってきては、孫悟空（猿）、猪八戒（豚）、沙悟浄（実は河童じゃない）の活躍でピンチを切り抜ける。アドベンチャー映画の原作にふさわしい。

『**金瓶梅**』は、『水滸伝』のスピンオフ。「十八禁のエロ小説」と噂される。稀代の好色漢西門慶と、潘金蓮、呉月娘、李嬌児ら妻妾愛人たちのドタバタ劇（？）。そこに、明末の退廃を背景に、賄賂とかの汚い手を平然と使ってのしあがる商人西門慶の一面も加えたもの。

こうして見ると、**四大奇書には僕らの好きが詰まっている**。まさに通俗小説の極みだ。

この本のポイント

❶『三国志演義』は、講談から生まれた白話長編小説。全百二十回の章回小説。

❷『水滸伝』『西遊記』『金瓶梅』とともに四大奇書と呼ばれる。みな通俗小説。

❸『三国志演義』の訳本は多数。小説やマンガから入るのも大いにアリ。

48『紅楼夢』

曹雪芹

中国では、『三国志演義』以上にポピュラーで、「紅迷」と呼ばれるマニアを生み続ける傑作白話長編小説。大貴族の邸宅を舞台とした美少年賈宝玉と彼を取り巻く美少女たちが繰り広げる濃密で緻密な物語世界に読者は夢中になる。

『新訳紅楼夢』井波陵一 訳／岩波書店

文字量 

難易度 

曹雪芹（1715?～1762?）：清（1644～1912）の人。曹家は康熙帝の信任も厚く、栄華を極めたが、雍正帝の代に、一転して家産没収の憂き目に逢った。曹雪芹は栄華と貧窮を体験し、これを元に『紅楼夢』を書いた。

中国白話小説の最高峰

四大奇書（三国志演義・水滸伝・西遊記・金瓶梅）に『紅楼夢』を加えて「五大白話長編小説」と称したのは、中国文学の泰斗、井波律子先生だ（『中国の五大小説』岩波新書）。

四大奇書の作者はわかっていない。『三国志演義』『水滸伝』『西遊記』はもともと講談や雑劇で「**語られたもの**」。『金瓶梅』は初めから小説として「**書かれたもの**」だが、作者のことは「笑笑生」というふざけたペンネームしかわかっていない。その正体については、数十の説があるという。

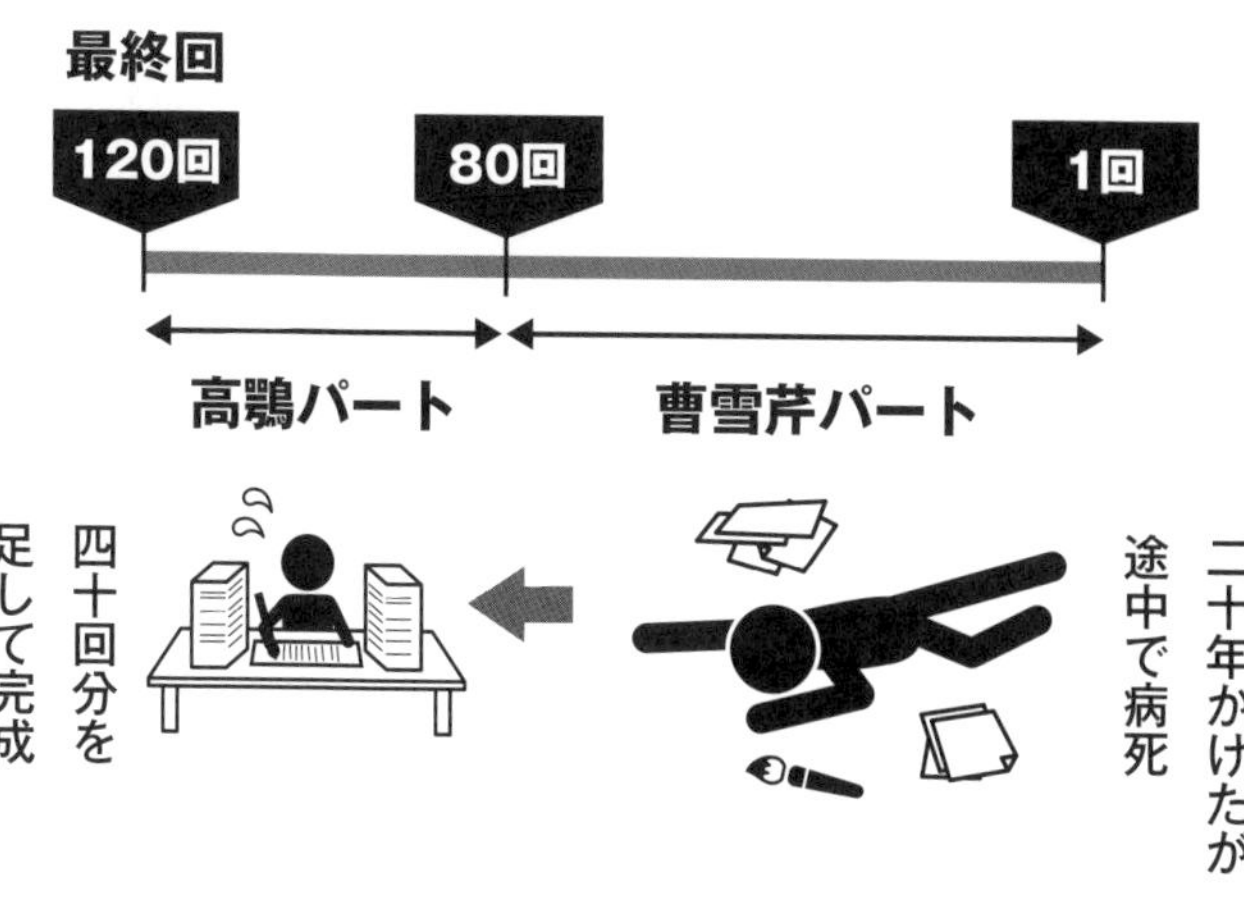

一方、『紅楼夢』の作者は**曹雪芹**だ。巨石に刻まれた★「出会い別れの喜び悲しみや、豹変する人情の頼りなさを味わい尽くしたという物語」を曹雪芹が整理・編集した「ノンフィクション」という体になっている。

執筆開始は乾隆九年（一七四四）頃、それから二十年ほど推敲に推敲を重ね、八十回までつくったところで**未完のまま病死した**。密度の濃い文章表現や緻密な構成・物語展開はこの熱情がもたらしたものだろう。

現行の百二十回本は、**高鶚**が補作して完結させたとされる。その四十回の完成度は八十回に劣ると言われる。やっつけ感があるし、矛盾もある。主人公賈宝玉はあれだけ毛嫌いしていた科挙（官吏登用試験）を受験し、しかも合格する。

男らしくない主人公

ハーレム小説の先駆け――。そう言うと、確実に「紅迷（紅楼夢ガチ勢）」に叱られる。「『紅楼夢』って少女愛全開のボンクラ少年が十二人の美少女に囲まれてイチャコラするハーレム小説でしょ？」は、「『金瓶梅』って十八禁のエロ小説でしょ？」に並ぶ暴論だ。本当かどうか自分の目で確かめてから言ってほしい。

とはいえ、一言でまとめると、「**大貴族の邸宅を舞台に、モテモテ美少年主人公賈宝玉と素直になれない細身薄幸美少女林黛玉の悲恋を描いたもの**」となってしまうのも事実。四大奇書のように「僕らの好きが詰まっている」とも思えない。

でも、「大貴族の邸宅」を舞台に、上流社会の華やかな生活、スキャンダル、愛憎渦巻く人間関係（不倫だの浮気だの）、格差社会の縮図（正妻の子と側室の子の差別とか）を余すことなく描く点では、大ヒット海外ドラマ『ダウントン・アビー』に通ずるところがあるし、両思いでありながら、素直になれず、すれ違い続ける男女など、名作『うる星やつら』『めぞん一刻』を出すまでもなく、ラブコメの王道だ。マンガ化すればいいのに！

主人公の賈宝玉は、眉目秀麗、頭脳明晰、かつ大富豪の御曹司と、女子が夢みるすべてを持っているハイスペック男子だけれど、端的に「**男らしくない**」。

四大奇書の登場人物たちが少年マンガのヒーローみたいなのに対し（金瓶梅の主人公西門慶はどんな汚い手でも使ってのしあがるダーティーヒーローだけど）、賈宝玉は、なよなよしている、やる気がない、ふわふわしている。名門の男子たる者、科挙合格を目指して克己努力しなければならないのにサボり倒し、科挙受験者を「国賊禄鬼（国賊の穀潰し）」と罵る始末。

彼は「**女の子は水でできた体、男は泥でできた体**。わたしは女の子を見ると、とってもさわやかな気分になるけれど、男を見ると、臭くて胸がむかつくんだ」と言い、「**天地の精華は女の子に集まり、男はカスやアブクにすぎない**」と公言し（『新訳紅楼夢』）、「金陵十二釵」と呼ばれる十二人の美少女と遊び戯れるばかり。しかも西門慶と異なり、賈宝玉は彼女たちに肉欲を抱かない。ただ眺めているだけ。**男らしくない**！

『紅楼夢』に出てくる男は全員ろくでなし。一方、女性は、賢く強くしたたかで、難関に立ち向かっていく。『紅楼夢』は、当時の価値観を転倒して描いた社会批判の書とも言えるのだ。

この本のポイント

❶『紅楼夢』は、白話長編小説の最高峰。その人気は中国では四大奇書をしのぐ。
❷大貴族の邸宅を舞台に、美少年賈宝玉と美少女林黛玉との悲恋を描いたもの。
❸豊かな文章表現、濃厚な人物描写、緻密な構成・物語展開に読者は熱狂する。

49『無門関(むもんかん)』

無門慧開(むもんえかい)

「絶対無」「東洋的無」の原典として世界的に有名な『無門関』。禅の修行に用いる公案集だ。そもそも答えなんてあるかないかわからない。これぞ古典。ゆっくり原典に向き合い、自分の頭であれこれ考える。贅沢な時間を楽しめる。

『無門関』西村惠信 訳注/岩波文庫

文字量

難易度

無門慧開(1183〜1260):南宋(1127〜1279)の僧。仏眼禅師。各地を彷徨したのち、臨済宗の祖師で公案禅の名匠月林師観に参じ、「趙州狗子」の公案で大悟する。公案集『無門関』を編んだとき、これを筆頭に置いた。

これぞ禅問答——世界的に有名な公案集

この章では、『文選』『唐詩選』(詩文集)、『捜神記』『剪灯新話』『聊斎志異』(文言怪奇短編小説集)、そして『三国志演義』『紅楼夢』を中心に五大白話長編小説を紹介してきた。

ここで少し寄り道して宋(九六〇〜一二七九)の**公案集**を紹介する。

その名も『**無門関**』。本気で禅の修行をしたいなら**無門を法門として飛び込め**という意味。著者は禅僧**無門慧開**である。公案とは、禅僧が修行に用いる**答えがあるかも定かではない難解な問題**で、**禅問答**とも呼ばれる。書名がすでに禅問答(よくわからない言葉)だ。

四十八則の公案

その筆頭、第一則が「**趙州狗子**」だ。西村恵信訳『無門関』（岩波文庫）から紹介する。はじめの二行が公案（本則）。一行挟んで後に続くのは無門慧開のコメントだ。

★或る僧が趙州和尚に向かって、「狗（犬）にも仏性がありますか」と問うた。趙州は「無い」と答えられた。

無門は言う、「禅に参じようと思うなら、何としても禅を伝えた祖師たちが設けた関門を透過しなければなるまい。素晴らしい悟りは一度徹底的に意識を無くすることが必要である。祖師の関門も透らず、意識も絶滅できないようなのは、すべて草木に憑りつく精霊のようなものだ。さて、それでは祖師の関門というものは一体どのようなものであるか。ここに提示された一箇の「無」の字こそ、まさに宗門に於いて最も大切な関門の一つにほかならない。そこでズバリこれを禅宗無門関と名付けるのである。（後略）」

コメントはまだ続き、慧開は、**全身を疑いの塊にして「無」の一字に参ぜよ**、という。

第一の公案　趙州狗子

持てる力を総動員して**無の字と取り組めば**、やがて「★驚天動地のハタラキが現れ、まるで関羽の大刀を奪い取ったようなもので、**仏に逢えば仏を殺し、祖師に逢えば祖師を殺す**という勢い。この生死の世界の真っ只中で大自在を得、迷いと苦しみの中で遊戯三昧の毎日ということになる」（同）と物騒なことを言い出す。

もともと『涅槃経』に「**一切衆生悉有仏性**」とあって、人でも犬でもカワウソでもアルパカでも、生きとし生けるものには「**悉く仏性有り**（すべて仏性が備わっている）」というのが仏教の教えだ。

ところが、趙州は「**無**」と答えた。この「無」は有無の無でもないし、虚無の無でもないと慧開は釘を刺す。安易な答えに逃げるなというわけだ。

南泉和尚は、東西の禅堂が子猫を争っていたので、「おまえたち、何とか言えたら、この猫を救おう。言えなければ、斬り捨てるぞ」と言った。みな答えられなかった。南泉はそこで猫を斬り捨てた。晩に趙州が外から帰ってきたので、南泉はこの問いを趙州にぶつけた。趙州は草履を脱いで頭に載せて出ていった。南泉は、「おまえがいたら、あの猫を救えたのに」と言った。

これが「**南泉斬猫**」。僕のお気に入りの公案だ。子猫を争う門人たち（「俺がモフる」「いや俺が」「うちの禅堂で飼う」「いやいやうちで」）に、南泉が「何か言え」と問いかけ、門人たちが答えられないと見るや、猫を斬り殺す。え？　子猫殺すの？　と絶句。しかも、正解は「**草履を頭に載せて出ていく**」。何も言ってないじゃん。こんな禅問答が四十八則並ぶ。一つひとつじっくり考えていると、わけがわからなすぎて**悟りを開きそうになる**。オススメだ。

この本のポイント

❶『無門関』は、禅問答を四十八則集めたもの。「趙州狗子」が特に有名。
❷禅問答は、そもそも論理的に考えることの限界を悟らせるためにあるともいう。
❸理解できそうでいて理解を拒む意味不明な問題は、『老子』を思い出させる。

50『狂人日記』

魯迅（ろじん）

『故郷／阿Q正伝』藤井省三 訳／光文社古典新訳文庫

この『狂人日記』も、最下層の農民の視点から中国社会を批判する『阿Q正伝』も、日本人には刺さらないかもしれない。でも、謎めいた『狂人日記』は新たな知見を与えてくれる。「温故知新」の書になるだろう。

文字量 ■□□

難易度 ???

魯迅（1881〜1936）：清末民国初めの人。本名は周樹人。「魯迅」は筆名で、当局からの弾圧を避けるため、140余の筆名を使った。日本に留学し、仙台医学専門学校（東北大学医学部の前身）で学ぶも、文学を志して中退。

発表から百年経ってもまだ解読できていない

最後は**魯迅**で締めくくる。選ぶのは、彼の謎多きデビュー作**『狂人日記』**だ。**古典の魅力は、正解がわからないところにある**と割と本気で思っている。読者は**好きなように解釈し、自分なりの正解を探す**。その点で、意味不明な『老子』『荘子』『無門関』は**最高の古典**であり、「狂人日記」もそれらに劣らない古典だ。休日の午後、ゆっくり時間をかけ、何度も読み返しながら、**この難解な小説を攻略するのがオススメ**。二十ページ程度の短編だから、かかっても数時間だ（「紅迷」たちは、これを長編の『紅楼夢』でやり、考察ブログまで立ち上げる）。

文学革命の狼煙として

時は二十世紀初頭。辛亥革命で清帝国は倒れたものの、中華民国の大総統**袁世凱**は、帝政復活を企て、そして挫折した。要するに、**中国は近代国家に変われなかった**。せっかく始皇帝から二千年以上も続いた古臭い帝政を打倒し、近代的な共和政の「民国」をつくったのに、帝政復活を企てるなんて、**何が**「**革命**」**だ**といったところ。

このとき、雑誌『新青年』は、「**民主と科学**」**を掲げ、漢から続く中国古典文化＝儒教を批判し、全面的な西欧化を唱えた**。一九一七年、胡適が「言文一致」を唱え、次いで陳独秀が**虚飾に満ちた古典文学を打倒し、白話＝口語による通俗文学を建設しよう**と呼びかけた。こうして始まったのが文学革命である。

文学革命とは、儒教道徳の染みついた文言の典雅な詩文を捨て、白話の通俗小説を国民文学とし、**この文学を通じて国民の意識を刷新する運動**のこと。この運動に応じ、翌一九一八年に魯迅が発表したのが「狂人日記」である。**中国近代文学最初の作品**となった。

「狂人日記」は、文字通り、狂人の日記だ。「迫害性」の病を患っていた友人の日記をもらい、それを発表したという体になっている。彼は「すでに快復して某地に行き任官待ち」だという。すでに**社会復帰済み**だ。

日記の冒頭。「僕」は月を見て「**これまで三十余年、ずっとぼんやりしていた**」と気づく。ところが、その後、周りの村人が僕に、恐れるような、狙うような目を向け、ひそひそ話をしている。女が息子を殴りながら、「こん畜生め!!　おまえに噛みつきたいぐらいだよ！」と言いつつ僕を見る。僕は驚き慌てるが、周りの連中は笑い出す。僕は無理矢理に家に連れて行かれて書斎に閉じ込められる。数日前、村の悪人をみんなで殴り殺し、数人がそいつの心臓と肝臓を油で炒めて食べたという話をしていた小作人と兄が、外の連中と同じ目つきで僕を見ていたことに僕は気づく。「奴らは人食いをするのだから、僕のことも食べてしまうかもしれない」。人は昔から人食いしてきた。歴史を繙（ひもと）くと、どのページにもグニャグニャと「仁義道徳」などと書いてあり、さらに読んでいると、字間から「食人」の二文字が見えてきた。

　僕には周りの人間が兄も医者も含め人食いに見える。妄想はますますひどくなり、周りは人食いだらけで、自分を食おうとしている、と思い込む。そして「人食いの人を改心させるのも、大兄さんから始めよう」と決意する。

　昔は人食いをしてきた人も、やがてそれをやめて**本当の人**になる、それでも一部は人食いを続ける、大兄さん、改めましょう、そんな奴らの仲間になってはいけない、と訴える。周囲の連中にも、「心の底から改めるんだ！　やがて人食いの人は許されなくなる、この世で生きていけなくなるということがわからないのか」と切々と訴える。

僕はまた閉じ込められた。幼い妹が死んだのは、兄が食べたからだと思い至る。いや、その妹の肉を自分も知らずに食べていたのだと気づく。四千年来、常に人食いをしてきた土地にあって、自分もその仲間だった。**本当の人**に顔向けできない！　最後は、「人食いをしたことのない子供は、まだいるだろうか？　子供を救って……」で唐突に終わる。

主題は「**家族制度と礼教の弊害を暴露する**」ことだと魯迅自身が述べている。「人食い」は「仁義道徳（家族制度と礼教）」の比喩。殴られる息子や死んだ幼い妹は、この家族道徳と礼教の犠牲者であり、こうした**前近代的な道徳を改めて近代的な**「**本当の人**」**にならなければならない**。しかし、周りが「人食い（保守的な人間）」ばかりでは、それは難しい。冒頭の「ぼんやりしていた」というのは、中国伝統の儒教道徳に疑いを持っていなかったという意味であり、月を見て覚醒した後は疑いを持ち、改めろと「人食い」に訴える。しかし四千年の伝統に逆らえず、彼は社会復帰する。つまり彼も「人食い」に戻ったのだ……と、**僕なりの解釈**はこんな感じ。

この本のポイント

❶『狂人日記』は、魯迅のデビュー作であり、中国近代文学最初の作品。
❷文学革命に応じ、儒教的な「家族制度と礼教の弊害」の暴露を目的に書かれた。
❸「子供を救って……」とは、彼らを伝統の呪縛から解放せよ、という意味だろう。

寺師 貴憲（てらし たかのり）
駿台予備学校・東進ハイスクール講師。科目は漢文・世界史・小論文。漢文では、駿台で東大演習コース、東進でも東大特進を担当するトップ講師のひとり。博士後期課程まで進み、白文を読む技能と中国の歴史・思想の専門知識を身につけた。また世界史講師として東西を問わない歴史知識を、小論文講師として幅広い教養ももつ。
単著９冊。主な著書に『最短10時間で９割とれる 共通テスト漢文のスゴ技』『答案添削例から学ぶ 合格できる小論文 できない小論文』（KADOKAWA）、『一読でわかる世界史B講義』（駿台文庫）などがある。

中国古典の名著50冊が1冊でざっと学べる

2023年11月10日　初版発行

著者／寺師 貴憲

発行者／山下 直久

発行／株式会社KADOKAWA
〒102-8177　東京都千代田区富士見2-13-3
電話 0570-002-301（ナビダイヤル）

印刷所／株式会社加藤文明社印刷所

製本所／株式会社加藤文明社印刷所

●お問い合わせ
https://www.kadokawa.co.jp/（「お問い合わせ」へお進みください）
※内容によっては、お答えできない場合があります。
※サポートは日本国内のみとさせていただきます。
※Japanese text only

定価はカバーに表示してあります。

ISBN 978-4-04-606096-9　C0030